Ei Uffern ei Hun

Geraint V. Jones

Argraffiad cyntaf – 2005

ISBN 1 84323 371 1

Dymuna'r cyhoeddwyr gydnabod cymorth
Cyngor Llyfrau Cymru.

*Argraffwyd yng Nghymru gan
Wasg Gomer, Llandysul, Ceredigion*

I
Angharad Haf,
fy merch fedydd,
yn ddeg oed.

Rhagair

'Cyw a fegir yn Uffern, yn Uffern y myn fod' meddai'r hen ddihareb. '*Uffern*', yn yr ystyr hwn, oedd yr enw a roddid ar ran arbennig o'r lle tân o dan yr hen simnai fawr slawer dydd ac yno, ar wres yr aelwyd, y câi ambell gyw bach melyn heb fam ei fagu. Wrth i'r dydd fynd rhagddo, fodd bynnag, fe allai lle felly droi'n anghysurus o boeth iddo ond yno y mynnai aros, serch hynny, am mai yno y teimlai'n fwyaf diogel a mwyaf sicr ohono'i hun. Dichon mai'r un Uffern a geir yn nheitl y nofel hon hefyd.

Mae peth o'r ddeialog sydd yma yn cael ei chyflwyno yn nhafodiaith unigryw Dyffryn Banwy. Fel yr atega un o feirniaid y Fedal Lên yn Eisteddfod Maldwyn a'r Gororau, nid yw'r dafodiaith honno bob amser yn hawdd i'w chyfleu, yn enwedig sain llafariad 'a', sy'n gorwedd rywle rhwng sŵn 'a' ac 'e' ac yn amrywio mymryn hyd yn oed o bentre i bentre yn yr ardal. Carwn ddiolch i Beryl Vaughan, Sychdyn, am roi o'i hamser i drafod yr amrywiol seiniau efo fi. Os bydd pobl Dyffryn Banwy yn teimlo fy mod wedi gwneud cam â'u tafodiaith hyfryd, yna fy methiant i a neb arall fydd hynny. Diolch hefyd i Bethan Mair a Dewi Morris Jones am eu cymorth hwythau ac i Wasg Gomer am roi cystal diwyg ar y gyfrol

Dychmygol, wrth gwrs, yw pob cymeriad yn y stori, fel hefyd ei lleoliad. Hyd y gwn i, nid oes ac ni fu erioed bentref o'r enw Bryncadfa yn y rhan hon o Bowys, na chwaith fferm o'r enw Tanpistyll.

RHAN 1

Pennod 1

'Tri munud! Dyna'r cyfan dwi'n ofyn! Jest digon o gyfle iddi roi enw'r diawl wnaeth hyn iddi.'

'Na! Trïwch ddeall! All hi mo'ch ateb chi.'

'Ond ma' hi wedi dod ati'i hun. Dyna ddeudist ti funud yn ôl.'

'Mae hi'n ymwybodol, fe'i rho i o fel'na. Ond ymwybodol o be, sy'n fater arall. Mae hi'n eistedd i fyny yn ei gwely, ydi . . . mae hi'n cymryd ei bwydo, ydi . . . ond dim byd mwy na hynny.'

'Be? Ma hi'n gwrthod ymateb?'

'Nid gwrthod . . . methu.'

'Damia unwaith! Pryd fedrwn ni gael gair efo hi ta?'

'Does bosib deud. Wythnos . . . mis . . . falla byth!'

'Nid hi ydi'r gynta! Rwyt ti *yn* deall hynny, Doctor? Doedd y llall ddim mor lwcus â hon, ac os na fedrwn ni roi'n bacha ar y diawl yn fuan yna ma'n beryg mai dyna fydd hanes y nesa hefyd.'

'Fe wnawn ni'n gora, Inspector, ond dwi am i chitha ddeall mai gwella'r claf ydi'n blaenoriaeth ni. Pan . . . *os* . . . daw hi'n ddigon da i ymateb i gwestiynau, yna dwi am ichi wybod rŵan nad chi nac unrhyw blismon arall fydd yn ei holi hi. Mi fydda i'n mynnu mai seiciatrydd arbenigol fydd yn ymgymryd â'r gwaith hwnnw, yn ei ddull ac yn ei amser ei hun. Rhaid ichi sylweddoli bod meddwl y greadures fach yma yn uwd llwyr. A pha ryfedd, o styried popeth sydd wedi digwydd iddi?'

11

'Rho syniad imi ta, doctor, o pryd y cafodd hi'r gweir? Pa mor hen, meddat ti, ydi'r doluria a'r cleisia 'ma ar ei gwyneb a'i chorff hi? Diwrnod? Dau? Faint?'

'Inspector bach! Mae hi wedi bod trwy lawer iawn mwy nag un gweir, mae gen i ofn. Mae hi wedi arfer cael ei cham-drin . . . ac wedi arfer cam-drin ei hun hefyd.'

'O?'

'Does raid ichi ond edrych ar ei breichia hi. Dach chi rioed yn credu mai pigiada mosgito ydi rheina?'

'Heroin?'

'Ia. Ac mae'i chlunia hi a chroen ei bol hi rywbeth yn debyg.'

'A'r doluria eraill? Nid y cleisia dwi'n feddwl na'r chwydd yn ei gwynab hi, ond y doluria crawnfelyn 'na ar ei thalcen a'i bocha hi? Be achosodd rheiny?'

'Llosgiada. Sigarét, yn fwy na thebyg. Rhywun wedi bod yn gwasgu sigarét goch ar ei chroen hi, dwi'n tybio. Mae 'na ddoluria tebyg ar ei bronna hi ac ar wadna'i thraed hi hefyd.'

'Y bastad! Gan nad oes gynnon ni unrhyw ffordd, hyd yma, o wybod pwy ydi hi, fedri di o leia roi syniad o'i hoed hi?'

'Na. Ddim efo unrhyw sicrwydd, mae arna i ofn.'

'Pa ochor i'r hanner cant, faset ti'n tybio?'

'Hanner cant? Inspector bach! Nid ei hoedran hi sydd wedi peri iddi golli cymaint o'i dannedd a'i gwallt. Nid y blynyddoedd, chwaith, sydd wedi rhoi'r lliw afiach 'ma ar ei chroen hi . . .'

'Felly?'

12

'Fe ddywedwn i nad ydi hi fawr hŷn na chi'ch hun. Faint? Tri deg a phump? Tri deg a chwech? . . .'

'Arclwydd mawr!'

'Un peth arall o ddiddordeb, cyn ichi fynd, Inspector. Rywdro neu'i gilydd, mae'r ferch yma, pwy bynnag ydi hi, wedi rhoi genedigaeth i o leia un plentyn.'

Pennod 2

'Dos i weld be 'di'r broblem, Dî Sî.'

Cip cyflym, beirniadol bron, oddi wrth y ditectif gwnstabl ifanc, yna edrychiad hirach allan ar y tywydd, cystal â gofyn 'Be? Yn hwn?' ond gan nad oedd arlliw o gydymdeimlad yn y gwyneb delw wrth ei ymyl, cododd goler ufudd ei gôt ac estyn am handlen y drws. O'u blaen, dim ond rhes o geir gwlyb am y gellid gweld, pob un yn chwydu'i wenwyn i'r niwl tra dawnsiai'r glaw ar ei do. Dwy yrr aflonydd o liw oedd y ddau bafin o boptu; ymbarelau'n twlcio'i gilydd yn eu diflastod.

Wrth i'r drws agor i'r tywydd, llanwyd y Mondeo â sio cyson y glaw ar wyneb y ffordd ac â sŵn dŵr yn treiglo'n oer i'r gwterydd. Yna roedd y drws wedi'i gau unwaith yn rhagor, yn fur rhwng tamprwydd myglyd ac oerni llaith.

Pwysodd yr Inspector ymlaen i roi taw ar guriad caled y weipars a theimlodd gryndod yr injan yn llonyddu yr un pryd. Â'i hances, sychodd ddiferyn arall oedd yn dianc yn oer o'i wallt i'w war. 'Be uffar dwi 'di'i neud i haeddu hyn?' meddai'n uchel wrth y diflastod o'i gwmpas. Ac yna, o dan ei wynt, 'Pymtheng mlynedd arall cyn y ca i ymddeol!' Gwyliodd, heb weld, y glaw'n dallu'r gwydyr o'i flaen ac ochneidiodd yn chwerw. *Ymddeol? Ddim eto'n bymtheg ar hugain oed ac eisoes yn deisyfu dy oes!* Tri deg a phump ac yn teimlo'n bum deg a thri! Ac

ymddeol i be, beth bynnag? At bwy? I dreulio mwy o
amser efo gwraig nad oedd o ond yn rhygnu byw efo hi
ers tro byd? I ddandwn plant nad oedd o hyd yn oed yn
dad i un ohonyn nhw, o bosib. 'Fedri di ddim gwadu
hwn. Mae o'r un sbùt â chdi! . . .' Geiria'i fêt – os mêt
hefyd! – ddwy flynedd yn ôl. '. . . Ond am yr ienga
'ma! Mae hwn yn rhy ddel o beth cythral i *ti* fod yn dad
iddo fo. Ha ha!' Ocê, jôc oedd hi, ond jôc wael ar y
diawl – am ei bod hi'n rhy agos at yr asgwrn ac at y
gwir. Ac ers hynny, mwya'n byd y meddyliai am y peth
– ac roedd o *yn* hel mwy o feddylia'n ddiweddar – yna
sicra'n byd oedd o ei bod hi wedi gneud pric pwdin
ohono fo ar hyd y blynyddoedd. Roedd hi wedi gadael
iddo fo fagu bastard rhywun arall . . . A dyma fo rŵan,
wyth mlynedd yn ddiweddarach, yn dal i'w fagu o!
Bastard rhyw fasdad arall. Ac yn waeth fyth, o styried
yn ôl, fe wydda fo pwy oedd y basdad hwnnw hefyd!
Ynta'n briod, pe bai wahaniaeth am hynny. *Arclwydd!*
Pa mor uffernol o ddiniwed oeddet ti ar y pryd i beidio
sylweddoli be oedd yn mynd ymlaen? Diniwed o brysur.
Chdi'n lladd dy hun efo gwaith, yn rhedeg ar ôl rafins a
gwehilion y Gehena lle 'ma, tra bod rhyw ddiawl fel
hwnna'n sgriwio dy wraig di! Ddaru hi rioed gyfadde
i'r affêr, wrth gwrs. Ond doedd ynta chwaith, yn
rhyfedd iawn, ddim wedi mynd ar ôl y peth. Sut fasa
dechra gneud hynny rŵan, beth bynnag, flynyddoedd
wedi'r digwydd? *'Sgiwsia fi! Wst ti hwnna oeddet ti'n*
arfer gweithio efo fo stalwm? Hwnna oedd yn dŵad
yma am baned weithia ac yn smalio bod yn uffernol o
glên efo fi? Oeddet ti'n gadael iddo fo dy ffwrchio di?'

15

Dyna, wedi'r cyfan, oedd o isio'i ofyn. Dyna oedd yn ei gnoi ac yn ei gorddi fo bellach. *'Faint o weithia fust ti yn 'i wely fo? Faint o weithia fuodd o yn dy wely di . . . 'y ngwely i? A thra 'dan ni'n sôn am y peth, deud i mi, ai fo ydi tad yr ienga 'ma? Yr un sydd ddim byd tebyg i mi nac i'r un o nheulu fi?'* Ond cwestiyna heb eu gofyn oedden nhw o hyd. Roedd o wedi sgubo'r amheuon o dan garped ei ddychymyg a gadael iddyn nhw dyfu'n dwmpath anghyfforddus yn fan'no. 'Rhy ddel i ti fod yn dad iddo fo!' Ha blydi ha! Jôc oedd yn dal i ganu fel cnul yn ei ben, ac yn dod â phetha eraill yn ôl i gof, petha gafodd eu deud a'u gneud flynyddoedd yn ôl, petha y dyla fo – a fynta'n dditectif! – fod wedi'u hamau nhw ar y pryd. 'Cwrs. Does gen i ddim dewis. Rhaid imi fynd. Dim ond dwy noson fydda i i ffwrdd. Sdim rhaid iti boeni, mi neith Mam warchod y babi.' Poeni? Roedd o'n rhy ddiniwed-brysur bryd hynny i feddwl bod ganddo fo le i boeni o gwbwl. Wrth gwrs, ddeudodd hi ddim pwy arall oedd yn *gorfod* mynd ar y cwrs. Wedyn y cafodd o wybod hynny . . . trwy ddamwain! A sawl cyfle arall gafodd y ddau efo'i gilydd, duw a ŵyr! *Ditectif? Ditectif drama myn uffar i! Mi ddylet ti fod wedi'i chroesholi a'i chroeshoelio hi'n iawn cyn hyn, a chael at y gwir. Felly, pam na wnest ti ddim? Balchder, siŵr dduw! Ofn gwynebu ffeithia. Ofn cydnabod dy fod ti'n bric pwdin go iawn, ac yn gwcwallt i ryw gòc oen o foi.* Sut bynnag, yn fuan ar ôl geni'r ail, roedd y stŷd wedi cael job arall yn rhywle neu'i gilydd ac wedi symud i ffwrdd, i fwrw'i had mewn tir ffrwythlon arall mwy na thebyg, ac mae'n siŵr bod yr affêr wedi dod i ben bryd hynny – ymhell cyn iddo fo, mygins, gael lle i ama dim! 'Rhy ddel i ti fod yn dad iddo fo.' Ia, ha blydi ha! Ac erbyn rŵan roedd y pentwr amheuon o dan y carped wedi codi'n fynydd o ddieithrwch rhyngddo fo a hi. Ac am nad oedd hi'n deall y rhwystr hwnnw . . . am nad oedd hi'n gweld ei amheuon o, nac yn gallu clywed ei edliw mud, yna roedd hitha wedi mynd i ama'i fod ynta mewn affêr. Mewn gair, uffar o lanast . . . 'Wel?'

Roedd y ditectif gwnstabl ifanc yn ei ôl a deigryn o ddŵr yn pendilio wrth flaen ei drwyn. 'Car wedi mynd i din un arall a'r ddau ddreifar yn coethi fel cŵn. Synnwn i ddim na fydd 'na daflu dyrna.'

Rywle o'r niwl daeth sŵn corn diamynedd, yna un arall, ac arall eto, fel pe bai'r cynta wedi cychwyn gêm pobol flin.

'Ffeindia ffordd o'ma, wir dduw, Dî Sî! Efo'r pentwr gwaith sy'n ein haros ni, fedrwn ni ddim fforddio gwastraffu amser yn fama.' Taflodd gip ar ei wats. ''Dan ni'n ddigon buan i'r sbyty, felly troia'r car rownd a dos â fi heibio'r stryd gefn lle ffeindiwyd yr hogan 'na.'

'Cha i ddim gneud hynny, syr. Ddim troi'n ôl dwi'n feddwl. Stryd unffordd ydi hon . . . A!'

Yn sydyn roedd petha tu allan yn dechra llacio a symud unwaith eto, er yn ddigon malwennaidd.

'Dach chi'n dal i fod isio mynd i weld y lle?'

Ddaeth dim ateb. Yn araf aethant heibio dau gar y ddamwain, y rheini erbyn rŵan wedi tynnu'n dynn at y pafin a phlismon gwlyb yn cicio darna o blastig drud i'r gwter.

'*Poor bugger!*' Ond doedd fawr o gydymdeimlad chwaith yng ngeiria'r ditectif ifanc; mwy o sŵn cyfri'i fendithion ei hun oedd ynddyn nhw.

Ar y cyfle cynta, gadawodd y Mondeo'r prysurdeb dig o'i ôl a throi i ffordd gul oedd yn arwain i we o strydoedd cefn lle'r oedd pob talcen adeilad a phob drws garej wedi'u haddurno â graffiti anllad, a'r draenia'n bapur ac yn fagia plastig am y gellid gweld. Â chefn ei law, sychodd y gyrrwr ffenest fach gliriach iddo'i hun yn stêm y gwydyr.

'A! Ylwch y mochyn acw!'

O'u blaen, efo'i gefn atynt, roedd rhyw horwth blêr wrthi'n piso'n bowld yn erbyn wal, heb falio am na glaw na gwrid gwraig oedd yn prysuro'n ambarelog o'r tu arall heibio. 'Fasa'n well imi neud rwbath ynglŷn â fo, syr?'

Crechwen o ddirmyg, ac yna'n swta, 'Callia, wir dduw! Wyt ti *isio*'r gwaith papur?'

Hyrddiodd glaw trymach o rywle, dallwyd ffenest y car am eiliad ac aeth embaras y wraig wlyb yn angof. De a chwith, chwith a de ar daith ddryslyd, weithiau'n gorfod gwasgu heibio ceir a faniau wedi'u parcio'n anghyfreithlon ar strydoedd rhy gul, ond roedd y gyrrwr ifanc yn gyfarwydd â'i batsh ac ymhen hir a hwyr arafodd y car a stopio.

'Dyma ni!' Llithrodd ffenest lwyd yn llydan agored i'r niwl a'r glaw. 'Fancw! Lle mae'r sbwriel mwya 'cw!'

Gan nad oedd yr Inspector yn gneud dim ond syllu'n fud heibio iddo i fwrllwch y stryd gefn, teimlodd reidrwydd i ddeud rhywbeth pellach.

'Nid dyna'r sbwriel oedd yno bryd hynny wrth gwrs, syr. Fe gafodd hwnnw'i glirio yn syth ar ôl i hogia *scene of crime* orffan efo fo, dair wythnos yn ôl. Rhagor o'r un peth sy'no rŵan.'

Er bod y stryd gefn y pwyntiai ati wedi ei gwasgu'n gul rhwng dwy wal hir o frics dugoch budur, eto i gyd, roedd hi'n ddigon llydan i gar, lorri hyd yn oed ar binsh. Ond heddiw doedd prin le i ferfa deithio'n ddidramgwydd hyd-ddi gan gymaint y llanast yma ac acw, yn focsus a bagia wedi chwydu'u cynnwys meddal hyd y lle; hen fatres soeglyd yn gap ar un domen, ffrâm beic yn goron ar un arall. Yn y pellter roedd mwngrel llwyd wrthi'n llusgo rhyw flasusfwyd amheus, a blerwch i'w ganlyn, allan o fag du brau. Yn nes atynt, celain cath frech yn ymestyn yn oer ac yn stiff dros hen dun rhostio rhydlyd. Uwchben honno, ar ddüwch brics y wal, *'This place stinks'* meddai protest rhyw graffitïwr craffach na'i gilydd.

Trwy grychu'r mymryn lleia ar ei drwyn, llwyddodd yr Inspector i awgrymu'i ymateb. 'Moch! Blydi moch!' meddai'i edrychiad. Yna deud yn hytrach na gofyn, 'Ond ffeindiwyd dim byd o bwys.'

'Naddo, syr. Digon o nodwydda a chondoms a phetha felly ond dim byd oedd yn cysylltu'n uniongyrchol efo'r ferch. Dach chi'n dal i gredu mai'r bwriad oedd i'w lladd hi?'

Edrychodd yr uwch-swyddog ar ei wats, fel pe bai'r cwestiwn heb ei ofyn. 'Cau'r ffenest 'na, wir dduw, a gad inni fynd! Dydw i ddim isio cadw'r seiciatrydd 'na i aros.'

'Ydi o'n mynd i weithio dach chi'n meddwl? . . . Y busnas hypnoteiddio 'ma?'

'Hm!' Ebychiad gwyntog i awgrymu *Amser a ddengys, felly gad lonydd imi yn fy myd a'm meddylia fy hun.*

Â chroeso, mêt! meddai'r diflastod yn llygad y llall a threuliwyd gweddill y daith mewn tawelwch pwdlyd.

Ymhen hir a hwyr, daeth yr ysbyty i'r golwg; yn gwch gwenyn o brysurdeb eto heddiw, efo'i faes parcio gorlawn a glas troellog ei ambiwlansys.

'Gollwng fi wrth y drws a dos i chwilio am le i barcio.'

Roedd hi'n bwrw'n drymach os rhywbeth.

*   *   *

'. . . *deeper . . . deeper . . . You are sinking deeper and deeper into a warm, peaceful sleep.*' Roedd dyfnder cyfoethog y llais – Richard Burton o lais – yn gwahodd syrthni. '*Your eyes are heavy . . . are getting heavier . . . and heavier.*'

Wrth i groen gwelw'r gwyneb lyfnhau, wrth i'r ên ostwng yn araf i gyffwrdd â'r frest, wrth i'r anadlu droi'n rheolaidd drwm, daeth smygrwydd i wyneb yr hypnotherapydd. Bu disgwyl iddi wrthryfela, yn eiriol a chorfforol; bu disgwyl iddo ynta fethu. Hynny'n siŵr o ddigwydd, ym marn yr ysbyty. Dyna pam y bu dwy nyrs nobl yn sefyll tu ôl iddi gydol yr amser, yn barod i'w dal i lawr yn ei chadair, pe bai raid. Ond fu dim rhaid ac roedden nhwtha hefyd rŵan yn medru ymlacio.

Yng nghefn y stafell pwysai'r Inspector ymlaen yn ei gadair. Yn ei ymyl safai'r meddyg, yn ei gôt laes wen, ynta'n synnu braidd at lwyddiant annisgwyl yr hypnotydd. Wrth ymyl hwnnw, y ditectif gwnstabl, ei wallt a'i goler yn anghysurus o wlyb a lledar rhad ei wadna'n ddim amgenach erbyn hyn na chardbord wedi mwydo'n hir.

'Rwyf am gychwyn ei holi hi'n awr,' meddai'r llais rhywiol dwfn, 'ond peidiwch â disgwyl gormod yn rhy fuan.' Edrych ar yr Inspector yr oedd o. 'Fe all gymryd sawl sesiwn cyn ichi gael gwybod rhyw lawer ganddi. Ond, ar y llaw arall, cofiwch, fe allai hi ymateb yn syth.' Yna pwysodd fotwm y recordydd ar y bwrdd bychan rhyngddo a'r ferch ac, wedi craffu i neud yn siŵr bod y tâp yn troi ac felly'n recordio, trodd eto at y meddyg. 'Cyn imi ddechrau, doctor, wnewch chi gadarnhau, os gwelwch yn dda, nad yw'r claf, a adwaenir gennych wrth yr enw *Susie*, yn derbyn unrhyw feddyginiaeth i'w thawelu?'

'Ers ichi neud y cais dridia'n ôl, doctor, dydi hi ddim wedi derbyn dim math o gyffur. Mae'r sbyty wedi parchu'ch cais.'

'Diolch.' Roedd cofnodi'r dystiolaeth ar dâp yn bwysig iddo, rhag ofn. 'Fel yr eglurais o'r blaen, fyddwn i ddim yn mentro hypnosis dwys fel arall.' Ar y ditectif inspector yr edrychai rŵan ac arhosodd nes gweld hwnnw'n nodio'i ben yn ddiamynedd ddoeth. Wedi'r cyfan, ped âi unrhyw beth o'i le o ganlyniad i'r driniaeth, yna fyddai'r wasg dabloid fawr o dro'n gneud môr a mynydd o betha ac yn pardduo'i enw da fel un o

21

hypnotherapyddion gora'r wlad. Ac i ddilyn hynny, wrth gwrs, fe ellid disgwyl stomp go iawn wrth i rywun neu'i gilydd fynnu iawndal a bygwth llys. 'SIWIO AR GOWNT SUSIE' – mi fyddai'r pennawd yn cynnig ei hun yn barod iawn, hyd yn oed i'r Golygydd mwya diddychymyg. *'Where there's blame there's a claim'*! Onid dyna'r slogan? Ac onid siwio oedd gêm a salwch yr oes? Siwio doctoriaid, siwio'r heddlu, siwio athrawon a chyrff cyhoeddus. Gwell chwarae'n saff, felly.

'Fe gewch chi fynd. Mae hi'n ddigon diniwed nawr.' Ac wrth aros i'r ddwy nyrs adael, trodd eto at y ditectif, 'Rydych *yn* sylweddoli, Inspector, na allwn ni ruthro petha efo'r claf yma, o gofio'r trawma difrifol y mae hi wedi bod trwyddo? Fedrwn ni ddim disgwyl gormod o'r sesiwn gyntaf hon.'

'Ia, felly ti 'di deud yn barod.' Teimlai fel ychwanegu 'fwy nag unwaith' ond barnodd yn well peidio. 'Ond pe baen ni ond yn cael rhyw wybodaeth fach i weithio arni . . . Enw . . . cyfeiriad . . . Unrhyw beth! Ar ôl tair wythnos, 'dan ni'n dal yn y niwl yn lân ynglŷn â hi.'

Nodiodd yr hypnotydd yn bwyllog a throi unwaith eto i astudio'r corffyn tila yn y gadair o'i flaen. Ni welai fawr mwy na chorun pen a chroen cleisiog yn amlwg trwy wallt tena caglog. *Susie*! Enw'r ysbyty arni! Oed? Anodd deud. Deugain? Hŷn, falla! Iau hyd yn oed! Priod? Nac oedd. Bys y fodrwy'n noeth! 'Ond peidiwch â phoeni, Inspector. Gydag amser, rwy'n ffyddiog y caiff pob dim ei ddatgelu.'

Cydiodd yn nwylo esgyrnog y claf a'u codi er mwyn

astudio'r myrdd cleisia oedd bellach wedi glasu'n ddwfn ar y ddwy fraich, lle bu cenedlaetha o nodwydda'n pwmpio'u gwenwyn i wythienna prin. Dyna'r olwg ar ei chlunia hi hefyd . . . a chnawd ei bol. Roedd nodiada'r ysbyty wedi deud cymaint â hynny wrtho. A'r llid piws anghynnes o gylch ei dwy ffroen! A thaflod y genau, lle'r oedd y cnawd wedi'i fwyta'n dwll! Doedd dim rhaid egluro'r rheini chwaith. Ond roedd y cleisia a'r doluria eraill yn sgrechian am sylw: olion y bodiau creulon ar y beipen wynt – rheini wedi pylu rhywfaint erbyn hyn – y llosgiada crawnfelyn ar groen talcen a gwadn troed, ar gnawd boch a bron. Nhw oedd maes diddordeb yr heddlu a'r meddygon ysbyty; briwiau'r meddwl oedd ei faes diddordeb ef.

'*Right!*' Arwydd ei fod yn barod i gychwyn. '*No interruptions from now on, please.*' Pwysodd ymlaen yn ei gadair a thaflu cip arall ar y tâp yn troi.

'*Can you hear me, Susie?*' Mwya sydyn, roedd tôn ei lais wedi newid yn llwyr; rŵan yn llawn caredigrwydd a chyfeillgarwch a thrymder tawel, hudol.

Aeth eiliada heibio cyn i'r pen swrth siglo'r mymryn lleia i fyny ac i lawr yn erbyn y frest.

'*Good. Very good. Now then, you know that I'm your friend, don't you? And that you can trust me . . . But I need your help. Will you help me? . . . Please?*'

Eiliada eto, yna'r arwydd lleia o gydsynio.

'*I want you to tell me your name. Will you do that?*'

Cymerodd oes i'r gwefusa wahanu a gneud siâp, a gwyrodd yr hypnotydd ymlaen i glustfeinio ar y mwmblan distaw.

'*Ah! But that's not your real name is it? Susie is just a silly name that they've given you here in the hospital, isn't it? You and I are such good friends that I'll need to know your real name, won't I?*'

Daeth mymryn o gryndod i'r gwefusa chwyddedig, ond dim byd mwy na hynny.

'*What about when you were a little girl? What did your mother and father call you?*'

Unwaith eto, symudodd y gwefla'n drwm ac yn ddiog i roi siâp ar air, ond doedd dim deall y sibrydiad gwyntog. Gwnaeth yr hypnotydd sŵn chwerthin chwareus.

'*I'm getting old, and my hearing isn't getting any better, you know. You'll have to speak a little louder. Tell me. What is your name?*' Gwthiodd ei glust dde yn nes eto at ei cheg.

'*Ang . . . hia . . . raaad.*'

Taflodd gip arwyddocaol i gyfeiriad y plismon. '*Anne? Is that your name? Anne? Anne what? Anne Reid?*'

'*Ang . . . hia . . . raad!*' Yn uwch o fymryn y tro yma.

'*Ah!*' Ebychiad o ddiffyg deall, ond gobeithiai fod y recordydd tâp wedi cofnodi'r enw. '*And where do you live? Tell me where you live.*'

Prin y symudodd y pen ond roedd yn gadarnhad, os oedd angen cadarnhad, nad oedd ganddi gartre ac mai strydoedd cefn y ddinas oedd ei chynefin.

'*But Anne, I'd like to know where you lived when you were a little girl. You're back there now. You're six years old and you're back home.*'

24

Lledodd cysgod gwên dros y gwyneb briw.

'Good! Now, since we're such good friends, I'd like to know where you live. Will you tell me where you live, Anne? Where are you now?'

'Tanpistyll!' Daeth y gair mewn llais bach gwichlyd, yn ddynwarediad trist o lais plentyn chwech oed.

'Tan Pistick?' Ailadrodd er mwyn y plismon yr oedd o, cystal â gofyn 'Sgen *ti* syniad lle mae lle felly?' Ond ysgwyd ei ben wnâi hwnnw.

'That's a lovely name. Now then Anne. You're back in Tan Pistick and it's such a lovely day. Can you see the blue sky? Can you feel the warm sun on your cheeks?' Gwyliodd hi'n codi'i gwyneb tua'r haul dychmygol ac arhosodd nes iddi nodio'i phen mewn gwên bell. *'Tell me who's with you. What are you doing now?'*

'Da . . . aa . . . ad! . . . Da . . . ad!' Llais gwan plentyn, yn galw. Yna'n ddyfnach, fel pe bai'n dynwared dyn yn gweiddi. *'Ma 'ne fwlch yn y shetin, Anghiarad! Dos i sefyll yn y bwlch! . . . Da'r lodes! . . . Rhag i'r defed ddengyd! Sefa di yn y bwlch, mêch i!'*

Sythodd y therapydd yn ei gadair, ei dalcen yn grych o ddryswch. Roedd yr un dryswch ar wyneba'r lleill hefyd.

'Inspector, dwi'n meddwl bod gynnoch chi fwy o broblem nag oeddech chi erioed wedi'i ddychmygu.'

Pennod 3

'Ta se amhuil a's mala pioba, cha seineann se go m-beidh a bholg lán.'

Roedd llanw o sŵn wedi boddi'r stafell mwya sydyn: ton o daeru bywiog o un cyfeiriad yn taro caseg wen o chwerthin cras o gyfeiriad arall, gweiddi gorchmynion o un lle yn suddo dan floeddio meddw o le arall, a'r cyfan yn cael ei gynnal ar ymchwydd môr o siarad a synau ffôn. O bell, daeth rwmblan taran.

Gan mai fo oedd targed amlwg y cyfarchiad estron, stopiodd y ditectif gwnstabl fwydo geiria i'r sgrin o'i flaen. 'Mae hi fel blydi seilam yn y lle 'ma, Paddy. Sut ma disgwyl i rywun lunio *report* call, Duw a ŵyr. Am be oeddat ti'n fwydro, beth bynnag?'

Lledodd gwên y Gwyddel yn lletach. *'Ta se amhuil a's mala pioba, cha seineann se go m-beidh a bholg lán.* Hen ddihareb o'r Ynys Werdd, iti gael gwybod.' Amneidiodd i gyfeiriad y meddwyn. 'Mae e fel bagbib, byth yn gwneud sŵn tan mae'i fol e'n llawn.'

'Ia, ia! Doniol iawn! Rŵan gad lonydd i mi drio gorffan y *report* 'ma, wir dduw, ne cha i byth adael y syrcas lle 'ma.'

'Doniol yn siŵr, ond gwir hefyd, wyt ti ddim yn meddwl?' Heb aros am ateb, symudodd Paddy mlaen, i ddoethinebu i unrhyw glust arall oedd yn barod i wrando.

'. . . *Despite several appeals from me, he continued to be abusive and threatening, at which point I*

26

cautioned him and then arrested him.' Yn syrffedus, darllenodd dros y cyfan unwaith eto. Iawn! Digon da fyth! *Save* meddai'r llygoden a daeth arwydd fod y cyfrifiadur wedi ufuddhau.

'*Several appeals?* Be wnest ti, Dî Sî? Mynd ar dy linia o'i flaen o?'

Gwingodd. Roedd yn nabod y llais ac yn ama be oedd ar ddod. 'O! Wyddwn i ddim eich bod chi'n sefyll tu ôl imi, syr . . .' Bu ond y dim iddo ychwanegu *yn busnesu*. Diolch byth na wnaeth o, neu mi fyddai'r gwyneb ffidil Inspectoraidd wedi mynd yn dipyn hirach a byddai mwy fyth o fin ar ei dymer. Da yw dant . . . felly, meddyliodd.

'Tyrd! Fe gei di fynd â fi i'r sbyty.' Yn hanner-buddugoliaethus er yn gwbwl ddi-wên, chwifiodd y swyddog gasét o dan drwyn ei gwnstabl. 'Dwi newydd ffeindio mai blydi Cymraes ydi'r ferch 'na . . . yr Anne Reid neu'r Anne Haraad . . . neu beth bynnag ydi'i henw iawn hi. Tyrd! 'Dan ni'n mynd yno rŵan . . .'

Shit! Roedd o wedi ama'n iawn, felly!

' . . . Fawr ryfedd nad oedden ni'n deall be oedd hi'n ddeud. Rwdlan mewn Cymraeg oedd hi, mae'n debyg. Mewn Cymraeg! Fedri di gredu'r peth?'

'Os felly, fyddwn ni fawr callach o fynd yno rŵan chwaith . . . syr.' Gobeithiai fod ychwanegu'r *syr* yn cuddio'i rwystredigaeth. Heno, o bob noson, roedd o wedi gobeithio cael mynd adre'n brydlon ar ddiwedd shifft. Molchi, newid ac yna . . .! Cofiodd yn ôl ddeuddydd. 'Sgin ti ffansi dod allan nos Wenar?' Hi'n flondan handi, efo cythral o siâp da arni, fo'n sinig ifanc

27

di-obaith, hen gyfarwydd â chael ei wrthod. 'Iawn! Lle? Faint o'r gloch?' 'O!' Ac mewn eiliad o wyrth a chynnwrf fe'i ganwyd ef o'r newydd, yn ebol o lanc unwaith eto. A hyd yn oed rŵan, ddeuddydd yn ddiweddarach, wrth feddwl am y peth, daliai ei galon i brancio yn ei frest. Edrychodd ar ei wats. Y trefniant oedd iddo'i chwarfod hi ymhen awr a phum munud.

'Ond . . .'

'Ond be, Dî Sî?'

'Dim . . . jyst mod i 'di trefnu i gwarfod rhywun am saith . . .'

'Hm! Gwell canslo, felly! Ffonia hi! . . .'

Sut uffar fedra i? Does gen i ddim rhif ffôn na dim!

'. . . Rŵan tyrd! Dwi wedi gneud trefniada.'

Shit! Cododd i ddilyn.

Tu allan, roedd awyr hwyr y pnawn yn ddu a'r storm yn hel yn nes.

*   *   *

'Fyddi di'n pysgota, Dî Sî?'

Bu'r cwestiwn annisgwyl yn ddigon iddo dynnu'i lygad oddi ar y ffordd am eiliad. 'Pysgota? Na. Dim ond pysgota dynion wrth gwrs . . .' Doedd y chwerwedd ddim wedi cilio. '. . . syr.'

'Ia. Doniol iawn. Fe ddylet ti'i drio fo, sti. Pysgota am bysgod dwi'n feddwl! Chei di ddim byd gwell i dawelu dy nerfa di.'

Arclwydd! Rwyt ti'n glên ar y diawl! Ista efo dy drwyn yn dy din fyddi di fel rheol pan fyddwn ni'n mynd

28

*yn y car! A hyd yn oed pan fyddi di'n agor dy geg, 'Dî
Sî hyn' neu 'Dî Sî arall' fydd hi, fel tasat ti'n siarad efo
lwmp o gachu. Mi fetia i nad wyt ti hyd yn oed yn cofio
be di'n enw fi. Ond rŵan, mwya sydyn, rwyt ti isio
gneud sgwrs! Wel stwffio chdi, mêt!*

'Chei di ddim byd gwell, wst ti, nag eistedd ar lan y
gamlas yn gwylio dy *float* ar wyneb y dŵr? A'r munud
nesa mae hi'n diflannu ac rwyt ti'n teimlo'r pysgodyn
yn plwcian, a'r cryndod yn rhedeg i lawr dy bolyn di.'

'Polyn?' *Arclwydd! Wyddwn i ddim fod pysgota'n
beth mor rhywiol!*

'Wel ia! Efo polyn mae rhywun *yn* pysgota 'nde? Be
arall?'

'Genwair dach chi'n feddwl?'

'Paid â hollti blew, Dî Sî! Polyn di o i mi . . . Sut
bynnag, be gei di well ar Sadwrn ne Sul na dianc oddi
wrth bawb a phopeth a threulio diwrnod cyfan ar lan
camlas, efo dim byd mwy nag ambell dderyn i dorri ar
y tawelwch neu un o'r cychod cul i gynhyrfu'r dŵr.'

'A fan'no y byddwch chi fory, ia?'

'Ia. Fan'no y bydda i fory iti, a dydd Sul hefyd, gyda
lwc.'

'Ac os bydd hi'n bwrw?' *Gobeithio y bydd hi!*

'Chlywist ti rioed sôn am ddillad oel, Dî Sî? Ac
ymbarél? Fydda i ddim yn glychu, siŵr dduw! Mae gen
i ymbarél sydd fel to uwch fy mhen i.'

'O! Ac os bydd hi'n storm? Mae hi'n ddu iawn ar y
funud . . . ac mae hi'n t'ranu o bell ers meitin. Synnwn i
ddim . . .'

'Wyt ti'n trio taflu dŵr oer ar betha imi, ta be?'

29

'Na, ddim o gwbwl, syr. Dydi'ch gwraig ddim yn meindio'ch bod chi'n mynd a'i gadael hi, felly?'

Efo'i drwyn yn ei din y treuliodd yr Inspector weddill y daith, a'r Dî Sî, am unwaith, yn croesawu'i fudandod a'i bellter.

*　　　　　*　　　　　*

'. . . *You and I are such close friends, aren't we Anne? And we're going to chat again today because there's such a lot to talk about, isn't there? But I have another friend with me today . . . and she's your friend as well. She's Welsh too, just like yourself . . .* Oedd y talcen wedi crychu'r mymryn lleia, fel pe bai mewn poen? Anodd deud.

'*When you hear her voice, will you talk to her? She thinks she knows Tan Pistick, where you come from, and she'd like to get to know you better. Will you do that, Anne? For me? Will you talk to her?*'

Ar hynny, arwyddodd ar y blismones i eistedd yn y gadair wrth ei ymyl, yna pwysodd ymlaen i sibrwd yn ei chlust. 'Fel rwyf wedi dweud yn barod, gofynnwch y cwestiynau yn araf ac yn bwyllog ac mewn llais addfwyn. A pheidiwch â gofyn dim byd sydd ddim ar y papur o'ch blaen. Dwi am ichi ddechrau trwy fynd â hi'n ôl i'w phlentyndod – chwech oed i ddechrau – a'i holi hi ynglŷn â'i theulu ac ati. Ei chael hi i ymlacio ac i ymddiried ynoch chi. Wedyn symud ymlaen i ddeuddeg oed, yna pymtheg os bydd raid. Ond yn gyntaf, cyflwynwch eich hun iddi.'

30

Nodiodd y blismones gan geisio cuddio'i hansicrwydd a'i phryder ei hun.

'Helô, Anne! Ann yw fy enw i 'fyd. Ann Morgan. Ryfedd ontefe'n bod ni'r un enw, a ninne am fod yn ffrindie?'

'Ang . . . hia . . . raad.' Yn uwch ac yn gliriach y tro yma na'r tro diwetha.

Taflodd pawb arall edrychiad arwyddocaol ar ei gilydd.

'Wrth gwrs 'ny! Ma'n flin 'da fi! Angharad 'ych chi, siŵr iawn. Gwetwch wrtho i beth yw'ch syrnâm chi, Angharad.'

Am eiliad, gellid meddwl ei bod am wrthod ateb. Roedd crychau dwfn wedi ymddangos unwaith yn rhagor ar ei thalcen ac roedd y llygaid yn cael eu gwasgu ynghau. Ond yn raddol llaciodd y gwyneb a gwnaeth y gwefusa siâp. 'Fy . . . chan.'

'A! Fychan, ife? Angharad Fychan. Enw pert iawn on'd yw e? Wel nawr 'te, Angharad! Tanpistyll? Fferm, ife? Wi'n cretu mod i'n gwpod am y lle. Tanpistyll ar bwys Ynys-y-bŵl shiwr o fod?' Roedd sŵn pysgota yn y llais.

Daeth ysgytwad diog o'r pen i awgrymu bod y 'ffrind' yn pysgota yn y llyn anghywir. 'Cwm . . . Pis . . . tyll,' meddai'r llais brwysg. 'Cwm . . . Pis . . . tyll . . . Gwyn.'

Taflodd y blismones gip i neud yn siŵr bod y tâp yn cofnodi'r cyfan. 'A! Cwm Pistyll Gwyn! Ar bwys . . .?'

'Bryn . . . ciaaad . . . fa.'

'A! Wrth gwrs 'ny! Tanpistyll, Cwm Pistyll Gwyn,

Bryncadfa . . . ym Mhowys ontefe? Wi weti paso hibo'r lle . . . Bryncadfa wi'n feddwl.' Edrychodd yn fuddugoliaethus i gyfeiriad yr Inspector ond y cyfan a wnaeth hwnnw, cyn codi a chychwyn allan o'r stafell ac arwyddo ar ei dditectif gwnstabl i'w ddilyn, oedd arwyddo'n ddiamynedd arni i sgrifennu'r geiria-sŵn-od i lawr. Gwell ganddo, yn amlwg, baned o goffi yn ffreutur y sbyty na gwrando ar rwdlan diystyr. Cyn cau'r drws o'i ôl, troellodd law swta i ddeud wrth y blismones am fynd ymlaen â'r holi.

'Nawr 'te, Angharad! Pan o'ch chi'n ferch fach yn Tanpistyll, gwetwch wrtho i pwy oedd yn trigo 'no 'da chi.' Wrth weld y cwmwl o ddryswch yn hel dros y gwyneb o'i blaen, brysiodd i aileirio'i chwestiwn. *'R'ych chi'n chwech ôd ac y'ch chi i gyd fel teulu yn ishte rownd y ford yn Tanpistyll, yn câl cino. Gwetwch wrtho i pwy sy 'no i gyd, Angharad . . . o gylch y ford.'*

Ffurfiodd gwên atgofus araf a daeth gwich llais plentyn. *'Fi . . . a Mami . . . a Dadi . . . ac Yncl Robet . . . ac Alun . . .'* Lledodd y wên. *'. . . a Jes.'*

'A pwy yw Alun, 'te? Eich brawd, ife?'

Roedd y wên erbyn hyn yn wên hiraethus bell, yn wên o'r gorffennol, wrth i'r pen gadarnhau'r wybodaeth.

'A beth yw ôd Alun, Angharad?'

'Saith.'

'A! Brawd mowr yw e felly!'

Daliai'r pen i nodio'n araf. Parhâi'r wên wan.

'A Jes? Pwy yw e? Brawd mowr arall?'

'Nâicie, siŵr!' meddai'r llais plentyn, yn smalio

dwrdio cwestiwn mor wirion. *'O den y bwrdd ma Jes yn byw, siŵr iawn.'*

A! Jes oedd y ci, felly!

'Ac Wncwl Robet. Pwy yw e? Brawd Mami? Brawd Dadi?'

Doedd y wên ddim yn cilio. *'Brawd Dadi.'*

'Ac r'ych chi'n ffrindie 'da Wncwl Robet 'efyd 'ych chi?'

Gwên letach eto, a sŵn chwerthin yn torri trwyddi. *'Ma fo'n fy ngogles i. Ma fo'n fy ngogles i o hyd.'*

'Wel nawr 'te, Angharad. 'Ych chi nawr yn ddeuddeg ôd . . . yn ferch fawr. Gwetwch wrtho i be 'ych chi'n neud nawr 'te.'

Ymhen dim roedd y wên wedi cilio a'r wyneb yn gythryblus a thrist.

'Mae Dadi'n gias efo fi . . .' Llais sŵn crio. Yna dynwarediad o lais blin dyn yn stytian, *'Rhaid iti roi'r gy . . . gore i'r crio 'ma, Anghiarad! Fydde Mami ddim isio iti gy . . . gy . . . grio fel hyn bob my . . . my . . . minid. Ma Megan yn gneud ei gy . . . gy . . . gore efo ti.'*

'Lle mae Mami 'te, Angharad?'

Aeth y gwyneb briwedig trwy bob math o stumia poenus a daeth y sŵn crio yn ôl i'r llais. *'Yn y twll du! Mae Dadi'n deud bod Mami efo Iesu Grist ond fe glywes Yncl Robet yn deid bod rhaib yr ange wedi mynd â Mami i'r twll du.'* Yna, wrth i'r atgof ddod yn fwy byw, dechreuodd y corffyn eiddil gael ei sgrytian gan y galar.

Edrychodd yr holwraig yn bryderus ar yr hypnotherapydd wrth ei hymyl. *'Fe gollodd hi ei mam* cyn 'i bod hi'n ddeuddeg ôd,' eglurodd. 'Odych chi am ifi find mlân?'

'Ydw, ond gan bwyll. Dyw pethau ddim yn rhy ddrwg hyd yma. Mi all y catharsis fod o les iddi.'

'Ma'n ddrwg 'da fi am eich Mami, Angharad. Ond eich brawd mawr, Alun? Ma fe 'da chi o hyd, on'd e?'

Cymerodd beth amser cyn i'r wên wan dorri unwaith eto drwy'r dagra. *'Ydi.'*

'Ac Wncwl Robet?'

Ciliodd y wên yr un mor gyflym. *'Ydi.'*

'Ac ma Wncwl Robet yn gwneud ichi werthin, on'd yw e? Odi e'n dal i'ch gogles chi, Angharad?'

'Ydi. Fel gloiwyn byw o dan fy sgiert.' Yn sydyn, dechreuodd daflu llaw gythryblus i gyfeiriad ei choesa, fel pe bai'n ceisio hel rhywbeth neu rywun i ffwrdd. *'Peidiwch, Yncl Robet! Dwi ddim isie ichi ngoglais i. Dwi ddim isie ichi nhwtsied i.'*

Teimlodd y blismones law oer am ei chalon. Gwyddai ei bod yn crwydro rhywfaint oddi wrth y sgript oedd o'i blaen, ond doedd gan yr hypnotherapydd ddim ffordd o wybod hynny. *'Gwetwch 'tho i, Angharad. Shwt ddyn yw Wncwl Robet? Disgrifwch e.'*

Rhedodd cryndod sydyn arall dros y claf, fel pe bai rhywun yn cerdded dros ei bedd. *'Y llibin tene! Dyne ma Alun yn i alw fo.'*

'Be? Smo chi'n lico Wncwl Robet ddim mwy?'

Yn ara, siglodd y pen yn ôl a blaen. *'Ddim pen ma Dadi wedi mind i Syswallt ne Lanbremair . . . ne'r plygien.'*

'*A'ch gadel chi'ch hunan, ife?*'

'*Ddim pen ma Yncl Robet yn mynd â fi i'r gowlas.*'
Gwasgodd ei llygaid yn dynn fel pe bai'n erlid atgof
poenus, dim ond i neud lle i un arall yr un mor boenus.
'*Ac ma Yncl Robet wedi lladd Jes.*' Roedd yn igian crio,
o'r newydd.

'*Lladd Jes? A sut wnâth e 'ny?*'

'*Efo'r tractor.*'

'*O! Damwen ife? A Megan? Pwy yw Megan 'te?*'

Ddaeth dim ateb y tro yma, dim ond ysgwyd pen
trist.

'Be mae hi'n ddeud nawr?'

Roedd yr hypnotherapydd yn colli'i amynedd ac
eglurodd y blismones iddo rywfaint o'r hyn oedd wedi
mynd ymlaen.

'Reit! Nawr dewch at y cwestiynau sy'n ymwneud
â'i phresennol, ond peidiwch â gwthio gormod arni.
Hwn ydi'r cyfnod mae hi'n ceisio'i anghofio.'

Ar y gair, daeth yr Inspector yn ei ôl a mynd yn syth
i'w gadair. Dim ond cyn belled â'r drws y dilynodd Dî
Sî ef ac aros yn fan'no, i bwyso'n bwdlyd yn erbyn y
ffrâm, gan ymdrechu'n llwyddiannus iawn i ddangos ei
fod wedi cael llond bol ar bawb a phopeth. Roedd hefyd
wedi hen roi'r gora i edrych ar ei wats.

'*Nawr 'te, Angharad. Gwetwch wrtho i ble'r ethoch
chi o Tanpistyll? Yma ife? I'r dre fawr hyn?*'

Nodiodd y pen yn araf, unwaith yn unig.

'*A ble 'ych chi'n byw 'ma nawr 'te?*'

Yn syth, lledodd cwmwl o boen dros ei hwyneb a
daeth cryndod cythryblus i'r gwefusa gan beri i'r

35

blismones droi'n bryderus at y seiciatrydd wrth ei hymyl ond y cwbwl a wnâi llygaid hwnnw oedd ei hannog i fynd ymlaen.

'Fe gethoch chi ddamwain fawr yn ddiweddar, on'dofe Angharad? Ond 'ych chi'n well erbyn hyn on'd 'ych chi? Ac 'ych chi'n ddiogel yma 'da ni, wrth gwrs. Sdim danjer ichi yma. Chi'n gwpod 'ny on'd 'ych chi? S'neb yn mynd i neud niwed ichi yma. Felli, gwetwch wrtho i pwy wnaeth niwed mor gas ichi.'

Gwthiodd deigryn allan rhwng yr amrannau caeedig a dechreuodd y pen siglo'n ffyrnig o'r naill ochor i'r llall. Daeth y dwylo i fyny, yn darian eiddil rhag yr ymosodiad dychmygol, ac aeth y llais yn gythryblus i gyd. *'No, I won't tell! . . . I won't tell anyone! I won't! . . . Please tell Marco! No! Please don't hurt me! Please don't!'*

Roedd ei llais wedi cryfhau'n sgrech rŵan, a'r dychryn a'r eiriol yn boenus o fyw.

'Dyna ddigon! Peidiwch â holi rhagor.'

Wrth ufuddhau i'r therapydd, gwelodd y blismones wyneb ffidil ei huwch-swyddog yn llacio mewn gwên oer a'i ben yn dechra siglo'n araf-ddoeth i fyny ac i lawr, fel pe bai wedi cael y cadarnhad y bu'n chwilio amdano. Darlun pur wahanol, fodd bynnag, roedd y ditectif gwnstabl yn ei gyfleu wrth y drws; hwnnw'n ddim amgenach na lwmp o syrffed anniddig ar ddwy goes.

*　　　*　　　*

'Dwi isio trawsgript o'r cyfan ar fy nesg i ben bore Llun. Deall?'

Daeth y fellten a'r daran efo'i gilydd o'r duwch tu allan, ac i'w dilyn chwip glaw caled ar y ffenest. Neidiodd y blismones yn ei chadair nes ysgwyd rhywfaint o'r coffi allan o'i chwpan ac yn boeth i'w glin. 'Iawn, syr.'

'Mewn iaith gall, wrth gwrs! Ti'n deall hynny!' Trawodd y tâp ar y bwrdd o'i blaen.

Tra cuddiai hi ei hymateb yn ei chwpan, gwrandawai Dî Sî ar sŵn y storm tu allan, a hynny gyda rhywfaint o foddhad.

'Yn y cyfamser, fe gei di egluro'r mymbo jymbo 'na inni ar y ffordd yn ôl i'r stesion rŵan.' Cododd a chychwyn am y drws, cyn ychwanegu'n ddi-hid, 'Fe ddalltis ddigon, sut bynnag, i gadarnhau be o'n i wedi'i ama'n barod. Ym mêr f'esgyrn fe wyddwn i mai gwaith Marco oedd hyn. Be sy'n bwysig rŵan ydi bod hon yn gwella digon i roi tystiolaeth yn 'i erbyn o yn y llys ac mi fydd o gynnon ni wedyn, gerfydd 'i geillia.'

'Chi'n bwriatu mynd 'na, syr?'

'Mynd? Mynd i ble felly?'

'I Tanpistyll, i weld tad Angharad? Smo chi'n gweld fi'n ewn gobitho, ond bydd raid iddo fe gâl gwpod, on' bydd?'

'Be? Yr holl ffordd i'r twll dîn byd na? Callia, wir dduw! Fe geith y *bobby* lleol neud petha felly. Go brin bod gan hwnnw ddim byd amgenach i'w neud, beth bynnag. Fe ffoniwn ni'r Dyfed-Powys, i drefnu. Be sy'n bwysig ydi bod enw Marco gynnon ni rŵan.' Eto'r wên oer hunan-fodlon. 'Ddechrau'r wythnos, mi ffeindiwn ni lety i Mistar Marco *Pimp* Mathews ac fe geith o wybod be ydi *third degree* go iawn bryd hynny.'

'Be? Dach chi ddim am ei gael o i mewn heno 'ma, syr? Na fory chwaith?' Diawledigrwydd a dim arall oedd tu ôl i'w gwestiwn, fe wyddai Dî Sî'n iawn, ond ni theimlai'r un iot o gwilydd o'i ofyn. A deud y gwir, fe garai fod wedi ychwanegu, *'Dach chi rioed yn mynd i osgoi'ch dyletswydd er mwyn cael treulio diwrnod o dan ymbarél efo'ch blydi polyn hir yn eich llaw?'*

'Na. Ym . . . Dwi'n meddwl yr arhosa i am y trawsgript gynta . . . Reit! Gwell inni'i throi hi'n ôl am y steshon. Mae'n mynd yn hwyr.'

*Hwyr? **Rhy** hwyr, y mwnci mul uffar!* Ond dewis brathu tafod wnaeth Dî Sî, eto fyth.

Pennod 4

Diawliodd, a chodi'i bolyn hir fel 'tai o'n codi rhwystr car wrth geg rhyw faes parcio. Gwyliodd y lein yn dod i fyny o'r dŵr a'r lwmp bara soeglyd yn ymddangos ar ei blaen. Fedra fo ddim credu'r peth! Fel rheol, ar fore Sul, rhyw ddau gwch ar y mwya fyddai'n teithio ar hyd y gamlas, weithia dim un o gwbwl, ond hwn rŵan oedd y pedwerydd o fewn yr hanner awr ddiwetha! Nid y drafferth o godi'r polyn i neud lle iddo basio oedd y broblem; y broblem oedd bod y blydi peth yn cynhyrfu dyfroedd oedd yn ddigon mwdlyd a budur ar y gora ac, yn waeth fyth, yn dychryn y pysgod. Fe gymerai o leia ddeng munud cyn i'r rheini ddod atyn eu hunain unwaith eto. Y pedwerydd mewn hanner awr! Doedd fawr ryfedd bod y rhwyd yn y dŵr wrth ei draed yn wag! Ac ar ben y cyfan, roedd tin ei drowsus yn wlyb ac yn oer ar y stôl ganfas.

Wrth i'r cwch cul phwt-phwtian heibio, gwelodd ddyn bach wrth y llyw yn hanner codi'i law mewn cyfarchiad swil, ymddiheurol falla. Nodiodd ynta'n anfoddog yn ôl. Ar yr un pryd daeth gwyneb o wên i'r golwg o fol y cwch ac yn ei sgil chwa bwyd yn coginio, yna llaw doeslyd yn ymddangos uwchben y wên a llais-llawn-chwerthin yn gweiddi 'Bore da!' fel petai'r byd yn lle hapus i fod ynddo.

Gwenai'r cwch hefyd, oherwydd roedd wedi cael sylw rhyw Bicasso neu'i gilydd, a hynny'n ddiweddar

39

iawn. Roedd ei ochrau'n garnifal o liwiau llachar, yn batryma mewn coch a melyn a glas a gwyrdd sgleiniog, efo twbiau o flodau'n addurn ychwanegol yma ac acw.

Sioe a dim byd arall! meddai'n chwerw-eiddigeddus wrtho'i hun. *Ffasâd o fodlonrwydd! Mae'r ddau yma'n cripio ac yn crafu fel pob pâr priod arall, siŵr dduw. A gwaeth na hynny hefyd, o bosib, a nhwtha'n byw ar benna'i gilydd fel ag y maen nhw. Arclwydd mawr! Petawn i'n gorfod diodde'r wraig 'cw mewn peth mor gyfyng â hwn'na, mi faswn i wedi'i thagu hi ers talwm.* A chofiodd fel roedd o rywdro, yn rhinwedd ei swydd, wedi cael ei anfon i garafán sipsiwn ar gomin ar gyrion y dre. Yr unig garafán o'i bath iddo'i gweld erioed. Cofio dotio at y sbloet o liw oedd arni. Cofio dringo'r grisia wedyn i wynebu'r gyflafan tu mewn. Yn fan'no, mam ifanc ar wely o waed, â'i phen yn hongian dros yr erchwyn gerfydd llinynnau o groen a chnawd, a babi deufis ger ei hymyl yn sgrechian am fron oedd yn prysur oeri. Ac mewn cornel, lai na dwylath i ffwrdd, llofrudd edifeiriol o ŵr yn nyrsio cyllell goch yn ei ddwylo ac yn mwmblan yn orffwyll trwy'i ddagra am dwyll ac anffyddlondeb gwraig.

Mae hi'r un fath ym mhob man, siŵr dduw! . . .

Fe wyddai fod ei waith wedi ei wneud yn ddyn chwerw ers talwm iawn.

A dydi rhein'cw fawr gwahanol i neb arall, er gwaetha'u sioe o liw ac o fod yn glên.

Daliai i wylio'r cwch wrth i'w phwt-phwtian bellhau.

Trio dianc maen nhwtha hefyd. Ond i ble'r ân nhw, mewn byd mor gyfyng?

Cofiodd eiria'i daid, flynyddoedd yn ôl: 'Cofia di hyn, machgen i! Dydi petha yn yr hen fyd byth cystal ag y maen nhw'n edrych ar yr olwg gynta, a does byth ddrwg, chwaith, nad oes ei waeth yn rhywle arall.' Yr athroniaeth besimistaidd honno oedd ei unig gof clir am yr hen ddyn. Câi drafferth cofio'i wyneb, tra bod wyneb ei nain yn fwy aneglur fyth. Ac am rieni'i dad! Wel, doedd ganddo ddim cof o gwbwl am y rheini. Roedden nhw'n byw yn rhy bell i ffwrdd i gadw unrhyw gysylltiad.

Edrychodd ar ei wats. Pum munud i hanner dydd. Be i neud? Mynd adre ynte aros awr neu ddwy eto? Diodde'r anghysur yma ynte mynd 'nôl i'r diffyg cysur arall?

Fu dim rhaid iddo bendroni'n hir. Fe wnaeth dawns y gawod drom ar y dŵr ac ar do'r ymbarél y penderfyniad drosto.

Pennod 5

'Syr! Fedra i gael gair?'

'Arclwydd mawr, Dî Sî! Fu lwc imi gyrraedd! Gad imi gael fy ngwynt ataf, wir dduw!' Roedd o'n hwyr am unwaith a doedd o ddim am roi lle i hwn nac i neb arall dynnu'i goes. Bore Llun! Bore Llun gwaeth nag arfer! Torri'i hun wrth siafio i ddechra a chymryd hydoedd i atal y gwaedu. Wedyn cael ei atgoffa, a hynny mewn llais mwy edliwgar nag arfer, ei fod wedi anghofio pen-blwydd yr hogyn hyna. *'Y peth lleia fedri di'i neud ydi deud Pen-blwydd Hapus wrth yr hogyn. Chostith hynny ddim byd iti, siawns!'* Yna'r ienga, wrth chwara'n wirion, yn mesur ei hyd ar y patio tu allan a chrafu croen dau ben-glin nes bod rheini'n waed yr ael. Dandwn hwnnw wedyn a sychu'i ddoluria a'i ddagra tra bod y fam yn rhuthro fel peth gwirion i chwilio am blasteri. A thrwy'r cyfan, ysu am adael tŷ a dod i fama i ddiodde syrffed gwahanol.

'Newyddion pwysig i'r cês. Meddwl y basach chi'n licio cael gwbod, dyna i gyd.' *Mae bora Llun yn fora Llun i bawb, mêt!*

'I'r *cês*, Dî Sî? Pa gês, felly? Yr hunanladdiad amheus yn Bridge Street ta'r trais yn Hightown? Yr *hit an' run* echnos ta'r Peeping Tom ar Fenton Avenue? Bydd yn fwy penodol, wir dduw!'

'Sa ti'n sefyll yn llonydd yn lle troi dy gefn a cherddad oddi wrtha i, mi faswn i'n deud wrthat ti'r

mwnci! 'Y Gymraes, syr. Negas wedi ei hanfon o'r sbyty ganol nos. Ma hi mewn côma. Gwaed wedi hel ar yr ymennydd. Fawr o obaith iddi fel dwi'n dallt.'

'BE?'

Ia, gwaedda! Ro'n i'n meddwl y basa hyn'na'n cael dy sylw di!

'Deud wyt ti na fydd hi ddim yn medru rhoi tystiolaeth yn erbyn Marco?'

'Dio'm yn edrych felly.'

'Wel damia unwaith! Gwell inni'i gael o i mewn rhag blaen felly, i weld neith o gyfadde ai peidio. Mae'n fwy tebygol o gyfadde i GBH rŵan nag i lofruddiaeth yn nes ymlaen os bydd yr hogan 'na farw. Ond cyn inni fynd, Dî Sî, dwi isio iti drefnu i anfon yr hances boced 'ma i'r Lab am tsièc DNA ar y ddau fath o waed sydd arni hi.' Tynnodd amlen blastig dan sêl o boced ei anorac.

'Pa gês fasa hwn felly, syr?'

'Cês? . . . Jyst gwna fel dwi'n gofyn, wir dduw!'

43

Pennod 6

Ar y dydd Mercher, bu'n rhaid gneud dau beth yn groes i'r graen. Rhyddhau Marco Mathews heb gyhuddiad oedd un ohonyn nhw, cychwyn am ganolbarth Cymru oedd y llall, taith awr a hanner a mwy.

'Pam rŵan?' *Yn hytrach na chyn iddi farw?* oedd o isio'i ofyn. 'Mi fydd raid i rywun neu'i gilydd o'r teulu ddod draw yma i adnabod y corff, beth bynnag. Pam na fedrwn ni eu holi nhw yn fama pan ddôn nhw?'

'Fyddai hynny ddim yn broblem, Dî Sî, petait *ti* wedi gneud be oeddat ti i *fod* i'w neud, ddyddia'n ôl. Fedra i ddim *credu* dy fod ti wedi anghofio ffonio Heddlu Dyfed-Powys i ofyn iddyn nhw hysbysu teulu'r ferch 'na am ei chyflwr hi.'

'Mae'n ddrwg gen i syr ond, fel dwi 'di deud yn barod, ddaru mi ddim dallt mai fy nghyfrifoldeb i oedd gneud peth felly.' *Felly paid â thrio ngneud i'n fwch dihangol, y basdad!*

'Mae'n rhy hwyr rŵan, beth bynnag. Jest gobeithia na fydd y teulu – na'r Crwner chwaith pan ddaw'r cwêst – yn sylweddoli'r blerwch. Mi allai'u cwestiyna nhw fod yn embaras inni a deud y lleia. Trwy fynd i weld y teulu'n bersonol, siawns na fedrwn ni achub rhywfaint ar ein cam . . . ar dy gam di! Ond cofia, fydd dim rhaid mynd allan o'n ffordd i ddeud wrthyn nhw pryd yn union y cawson ni wybod sut i gael gafael arnyn nhw.'

Hy! Dy bicil di, mêt! A d'euogrwydd di dy hun sydd

rŵan yn chwilio am ffordd allan ohono fo. 'Ond mi fydd hi'n anodd celu peth felly, syr. Mae'r dyddiad wedi'i nodi'n ddigon clir ar y tâp. Fiw inni ymyrryd â hwnnw.'

'Uffar dân, Dî Sî! Pwy sy'n sôn am ymyrryd? Rhaid iti gofio mai yn Gymraeg y cafodd y rhan fwya o'r cyfweliad ei gynnal a bod dyddia wedi mynd heibio cyn inni gael trawscript ohono fo. Dyna'n stori ni, iti gael dallt! Ac mae'n bwysig ein bod ni'n cadw ati.' Trwy chwifio'i law yn ddiamynedd medrodd awgrymu nad oedd eisiau gwrando ar air pellach am y peth. 'Wel rŵan at y gwir reswm dros fynd yn unswydd i Gymru i'w gweld nhw . . .'

O! Deud ti!

'. . . Marco, Dî Sî! 'Dan ni'n mynd yno oherwydd Marco. Pe bai Fforensig wedi ffeindio rhwbath o gwbwl i'w gysylltu fo efo'r hogan 'na, neu pe baem ni wedi medru tynnu cyfaddefiad allan o'r cythral, yna fyddai dim problem. Ond ddaru nhw na ni ddim, naddo? Diolch i'r cyfreithiwr diegwyddor na sgynno fo. Felly, mi fydd raid inni fynd ar ei ôl o eto, yn bydd? Efo mwy o wybodaeth, mwy o dystiolaeth y tro nesa, gobeithio. Ond mi fedri di fod yn sicr o un peth! Fydda i ddim yn fodlon nes gweld y cythral o dan glo. Cyn y medrwn ni neud hynny, fodd bynnag, mi fydd raid inni ddod i wybod mwy am y ferch 'ma, ei nabod hi'n well os lici di, a chael gwybod be wnaeth iddi adael cartre'n y lle cynta a throi'n butain i Marco Mathews o bawb. Am a wyddom ni . . . os byddwn ni'n lwcus . . . mi fydd hi wedi anfon gair adre rywbryd neu'i gilydd ac wedi

45

crybwyll enw'r basdad mewn llythyr. Ac os byddwn ni'n fwy lwcus fyth, mi fyddan nhw wedi cadw'r llythyr neu'r llythyra hynny. Pwy ŵyr *be* mae'r teulu'n ei wybod on'de? Pwy ŵyr pa wybodaeth bwysig sy'n eu meddiant nhw, ond nad ydyn nhw hyd yma'n sylweddoli hynny?'

A ti am i mi dy ddreifio di yno, mae'n debyg? Yr holl ffordd.

'Mi geith y Dybliw Pî Sî ddod efo ni hefyd. Rhag ofn.'

'Rhag ofn?'

'Ia. Pwy ŵyr be sgynnon nhw i'w gelu. Os dechreuan nhw rwdlan mymbo jymbo, yna dwi isio gwybod be'n union sy'n cael ei ddeud.'

'Heb iddyn nhw sylweddoli hynny.'

'Yn hollol, Dî Sî! Yn hollol! Wst ti be? Falla y medra i neud ditectif ohonot ti eto!'

Diolch yn dalpia, y bwch!

*　　　　*　　　　*

'Ylwch! Ma hi'n goleuo o'r gorllewin. Awyr las! Synnwn i ddim na chawn ni bnawn braf.'

Gydol y daith hyd yma, roedd weipars y car wedi bod yn sgubo'n ddiddiwedd, wrth i deiars gwyllt y traffyrdd foddi'r Mondeo mewn cwmwl parhaol o ewyn budur. Ond rŵan, ac Amwythig rai milltiroedd o'u hôl a ffordd y Trallwng yn ruban o'u blaen, roedd petha'n ysgafnu'n gyflym. 11:43 meddai cloc digidol y car.

'Diolch i Dduw! Mi eith hynny â rhywfaint o'r

diflastod allan o'r diwrnod. Faint o ffordd sgynnon ni i fynd, beth bynnag?'

Bu'r blismones fach yn y sedd gefn yn ddistaw am y rhan fwyaf o'r daith. Trodd rŵan at y map ar ei glin.

'Fe ddwetwn i taw rhyw ugen milltir ar y mwya, syr ... i Bryncadfa ... a falle dair milltir weti 'ny i Tanpistyll. Wi weti bod yn neud ymoliade dros y ffôn ambythdi'r lle.'

'Hm! Twll din byd, fel y deudis i!' Caeodd ei lygaid unwaith yn rhagor mewn ffug gwsg, ac roedd y cip o ryddhad a daflodd Dî Sî i'r drych yn rhybudd hefyd i'r Gymraes yn y sedd gefn beidio torri ar y tawelwch. Tu allan, roedd bryniau coediog Maldwyn wedi dechrau cau amdanynt.

Aeth ugain munud swrth heibio heb i neb ddeud dim, nes yn y diwedd iddo fo'i hun, y gyrrwr, ddifetha'r distawrwydd gyda sibrydiad uchel dros ysgwydd.

'Wst ti be? Mae 'na wlad braf yma'n does? Welis i rioed o'r blaen y fath liwia ar gaea a choed.' A gadawodd i'w ffenest lithro'n agored.

Roedden nhw newydd adael Llanfair Caereinion o'u hôl ac yn dilyn afonig mewn glyn coediog. Uwchben, roedd yr haul yn wincio'n chwareus yn y canopi dail a daeth trydar adar i'w clustiau.

'Odi. Ma'r haul yn dangos Natur ar 'i ore on'd yw e? So ti eriôd wedi bod yng Nghymru o'r blân 'te?'

'Naddo, rioed.'

'Ac rwt ti wedi dy siomi ar yr ochor ore, wyt ti?'

Gwelodd hi'n gwenu'n falch yn y drych. 'Ydw, mae'n rhaid imi gyfadda.'

'Paid â chyfadde dim, Dî Sî! Buan y cei di lond bol ar y lle.'

Doedd y diawl ddim yn cysgu, felly! 'Be? Dach chi'n gwbod am y lle, Inspector? Dach chi wedi bod ffor'ma o'r blaen, felly?'

'Naddo.'

'O!' *Sut uffar wyddost ti sut y bydda i'n teimlo 'ta?*

'Coelia fi, fyddi di ond yn rhy falch o gael troi am adre ymhen awr neu ddwy.'

*   *   *

Pentre bach swrth oedd Bryncadfa. Garej a thafarn a chydig dai o boptu'r ffordd, pob un yn gwenu'n lân yng ngwres y pnawn, ac eglwys mewn mynwent fechan ywennog yn edrych i lawr dros y cyfan o bellter tri chanllath neu lai. Ac eithrio rhuthr ambell gar neu lorri, yr unig sŵn arall i dorri ar heddwch y lle oedd cnewian cyson strumar, fel cacwn wedi myllio, yn cyhoeddi bod rhyw gymwynaswr neu'i gilydd yn cadw gwair y fynwent i lawr.

Ond yn y dafarn ac nid yn yr eglwys yr oedd diddordeb y gyrrwr ifanc. *Falla y cawn ni ginio a rhyw lasiad bach yn fama ar ein ffordd yn ôl, syr? Be dach chi'n ddeud?* 'Y Lion!' meddai'n uchel, er mwyn plannu'r syniad, ond syrthiodd yr had ar dir caregog ac ar glustia byddar.

'Wy'n cretu bod isie inni droi i'r whith nawr.'

Ymhen llai na milltir roedden nhw'n dringo lôn gul rhwng gwrychoedd drain yn eu bloda. Ar y llechwedd tu draw i'r rheini, porai defaid ac ŵyn gwynion ar gaeau oedd yn arallfydol o wyrdd yn yr haul. Pwysodd Dî Sî fotwm ac ildiodd ei ffenest unwaith eto i'r byd braf tu allan. Gwnaeth y blismones yr un peth efo'r ffenest gefn a llanwyd y Mondeo â sŵn dau'n llenwi'u hysgyfaint ag awyr iach. Roedd yr Inspector, ynta, wedi dechra dangos mwy o ddiddordeb yn yr hyn oedd o'i gwmpas.

Cyn hir, ildiodd yr allt i lôn fwy gwastad wrth iddi adael priffordd y dyffryn yn isel o'i hôl a daeth llyn bychan hirgul i'r golwg, efo awel y mynydd yn crychu'i wyneb nes bod hwnnw'n wincio drosto mewn sêr dirifedi. Tyfai hesg mewn un pen iddo ac roedd sisial hwnnw, ynghyd â bref ambell ddafad bell, yn dwysáu'r llonyddwch.

'Stopia!'

Neidiodd y gyrrwr, braidd. 'Be? Yn fama?'

'Ia. Parcia tu ôl i'r car acw.'

Ar goler o dir gwyrdd rhwng y lôn a'r dŵr roedd car lliw arian wedi'i barcio. Nid nepell oddi wrtho safai pysgotwr unig, at ei gluniau yn y dŵr, yn cynnig ei bluen i'r llyn. A thra gwylient, gwelsant chwip yr enwair yn codi'r lein yn fflach o neidar hir ac yn ei hanfon unwaith, dwywaith, deirgwaith yn ôl ac ymlaen drwy'r awyr denau cyn ei gollwng i'w hynt ac i orffwys yn llinell unionsyth unwaith eto ar wyneb y dŵr.

'A!' Heb air, dringodd Inspector allan o'r car – ei lygada'n pefrio a chynnwrf plentyn yn bywiogi'i frest – i wylio'r ddefod yn cael ei hailadrodd bob ychydig eiliada gyda'r un cysondeb medrus.

'Mae'n braf!' galwodd, wrth bigo'i ffordd yn nes, a

49

thynnu'i gôt yr un pryd nes teimlo awel y mynydd yn chwara'n bleserus rhwng brethyn crys a chnawd poeth.

Trodd y pysgotwr i edrych arno dros ysgwydd. 'Tywydd clên iawn,' cytunodd, cyn edrych yn ôl eto i'r llyn.

'Pysgota am be ydach chi, felly?'

'Brithyll.'

'Pysgota pluen, ia?' A chicio'i hun am ofyn cwestiwn mor amlwg.

'Brych-y-gro. Pluen sych.'

'O! Pluen sych!' *Deud ti!* 'Ac yn cael hwyl arni?'

'Fedrwch *chi* feddwl am rwle mwy clên i dreulio pnewn mor brêf?' Trodd y dieithryn gyda gwên fodlon i edrych arno eto ac ar yr eiliad honno daeth tro cynhyrfus yn y dŵr lle'r oedd ei bluen yn gorwedd. Cododd yntau flaen ei enwair yn frysiog, ond yn rhy hwyr serch hynny, ac felly'n ofer.

'Damie! Mi fethes i â'i drawo fo.'

Syllodd y Sais yn gegrwth. 'Roedd hwnna'n bysgodyn mawr, ddywedwn i! Fy mai i am dynnu'ch sylw chi. Mae'n ddrwg gen i.'

'Nâicie'n têd! Lwc y pysgodyn oedd hynne. Fydd y nesa ddim mor lwcus falle. Ac os ydi e'n gysur ichi, ŵr dierth, does dim pysgod mawr iawn yma, beth bynneg. Dim byd mwy na rhyw bwis a hanner falle.'

'Pwys a hanner? Ond mae peth felly'n glamp o bysgodyn!'

Gwenodd y llall eto. 'Dech chi'n meddwl? . . . A! Dyma fo!'

Roedd wedi bod yn gwylio'i bluen tra oedd yn siarad

50

a rŵan, lle'r arferai honno nofio, roedd y dŵr yn ferw gwyllt a'r enwair yn ymateb yn fywiog i'r sialens. Teimlodd yr Inspector yntau rywfaint o wefr y dal, a phan ddaeth y pysgodyn i'r rhwyd ac yna i'r lan ni allai beidio â rhythu arno, ar ei faint ac ar fflach ei liwiau gwlyb. Rhythodd hefyd ar y bluen yn ddiogel dynn yng nghornel y geg.

'Efo'r tri arell sydd gien i yn y bag, mi neith o swper go dde i'r wraig ac i minne heno.'

'Be 'di'i bwysa fo dach chi'n meddwl?' Plygodd ymlaen i redeg cefn ei fysedd dros y gwyrth gwlyb o liwia.

'Hanner pwys, mae'n siŵr . . . chydig mwy falle.'

'Brithyll yr enfys, ia?' Roedd wedi darllen am y rheini mewn cylchgronau.

'Nâicie'n têd! Dim ond brithyll brown giewch chi yma. Sdim reid ichi ond edrych ar y sbotie coch a melyn arno fo i wbod hynne. Pysgod gwyllt, a ffeit reit dde ynddyn nhw.'

Gydag eiddigedd, gwyliodd y Sais y pysgodyn braf yn diflannu i gwmni'r tri arall ym mag y Cymro. Taflodd olwg eto dros y llyn ac anadlu'r awyrgylch gyfan. Beth na roesai am gael byw o fewn cyrraedd lle fel hwn, meddai wrtho'i hun, a chael y wefr o fachu clamp o bysgodyn fel hwn'na yn hytrach na'r petha mân difywyd y byddai ef ei hun yn eu llusgo allan i'w rwyd-gadw, i'w rhoi'n ôl wedyn ddiwedd y dydd am nad oedden nhw'n ddigon mawr nac yn ddigon iach i'w bwyta.

'Peidiwch â rhoi'r gora iddi o'm rhan i!'

Roedd y pysgotwr yn troi cefn ar y llyn ac yn pigo'i ffordd yn ôl am y car.

'Rhaid i minne fyte rywdro wchi,' meddai gyda gwên fodlon. 'Dwi ddim eto wedi ciâl fy nghinio.'

'O! Dach chi'n troi am adra, felly?'

'Adre? Nâicie ddim. Dim ond cyn belled â'r ciar i giâl fy mrechdane a choffi.'

Yn y Mondeo, roedd Dî Sî yn cael gwedd newydd ar ei uwch-swyddog. 'Sbia arno fo, wir dduw! Dydio ddim yr un boi. Mae o wedi bywiogi trwyddo. Bron na faswn i'n deud ei fod o hyd yn oed yn gwenu! A dyna iti rwbath na welis i mono fo'n neud rioed o'r blaen! A wst ti be? Mae'n gneud lles iddo fo! Mae o'n edrach hannar 'i oed yn barod! Biti ar y diawl na fasa posib ailgodi'r hen dŷ 'cw iddo fo . . .' Pwyntiodd at adfail tu draw i'r lôn. '. . . a'i gael o i symud yma i fyw.' Gwenodd wrth glywed y blismones yn y sedd gefn yn chwerthin. Yna, wrth weld bod yr Inspector yn cychwyn yn ôl tuag atyn nhw, galwodd arno drwy'r ffenest agored, 'Ofynsoch chi iddo fo lle mae'r Tin Whistle 'ma, bòs?' 'Tanpistyll, y clown!' hisiodd hitha, gan smalio bod yn flin.

Gwelsant ef yn troi'n ôl i holi'r pysgotwr eto, hwnnw bellach wedi sodro'i hun ar faen gwastad ar lan y llyn, wedi agor paced o frechdana a rŵan yn tywallt llond caead fflasg o goffi poeth iddo'i hun. Rywle'n yr awyr las uwchben roedd dau os nad tri ehedydd yn cystadlu'n llafar â'i gilydd.

'Wel? Oedd o'n gwbod?'

'Llai na milltir. Mi fydd y lôn yn culhau'n arw o hyn ymlaen, medda fo, a gwyneb sâl iawn sydd arni hi am y chwarter milltir ola mae'n debyg. Dydi hi'n arwain i unlle ond i'r *Cwm-enw-gwirion* 'na lle mae'r fferm . . .'

'Cwm Pistyll Gwyn, syr.'

'Ia, ia! . . . Mae'n debyg bod y tŷ i fyny ar y llechwedd ym mhen pella'r cwm. Yr unig dŷ sydd yno, yn ôl y boi 'na.'

'Roedd o'n eich dallt chi'n siarad, felly?'

Methodd yr Inspector â chlywed tinc ddireidus y llais. 'Oedd, wrth gwrs. Be wyt ti'n feddwl?'

'A chitha fynta? Roedd o'n siarad Saesneg, dwi'n cymryd?'

'Paid â gofyn cwestiyna mor dwp, Dî Sî! Wrth gwrs ei fod o. Mae pawb yn siarad Saesneg, siŵr dduw! . . . A deud y gwir, doeddwn i ddim yn drwg-licio acen y boi yna o gwbwl. Gas gen i acen y Cymry fel rheol ond roedd acen hwn'na'n ddigon dymunol ac yn ddigon persain i'r glust.'

'Wel diolch yn dalpie, syr!' o'r sedd gefn.

'Ffact, Dybliw Pî Sî Morgan! Ffact iti! A phaid â bod mor groendena, wir dduw! Dyna'ch bai chi'r Cymry. Fedrwch chi ddim derbyn beirniadaeth, mwy na fedrwch chi gymryd jôc.'

Winciodd Dî Sî yn ddireidus i'r drych, cystal â deud wrth y blismones *Paid â chymryd sylw! Watsia hyn!* 'Hwnna'n bysgotwr go dda faswn i'n ddeud, bòs. Dach chi'm yn meddwl? Roedd o'n gwbod sut i handlo'i bolyn, beth bynnag.' Prin oedd yr ymdrech i guddio'r coegni.

'Genwair ydi peth felna, Dî Sî, nid polyn. Iti gael deall, mae o'n fath gwahanol iawn o bysgota i be fydda

53

i'n arfer ei neud. 'Yna sobrodd wrth i'r geiniog syrthio a throdd i rythu ar ochor gwyneb y gyrrwr. 'Dwyt ti rioed yn fy nghymryd i'n ysgafn, wyt ti?'

'Eich cymryd chi'n ysgafn, syr?'

Ond doedd y diniweidrwydd-gwneud yn y llais ddim yn argyhoeddi.

'Wel paid! *It's not appreciated* . . .'

Tro'r blismones rŵan oedd gwenu a wincio i'r drych.

'Sut bynnag, be sy'n ddiddorol iawn ydi mai ffarmwr Tan Pistick – Thomas Vuckan, tad yr hogan 'na fuodd farw neithiwr – sydd bia'r tir 'ma o gwmpas. A fo, mae'n debyg, sy'n dal yr hawl pysgota ar y llyn.' Wrth iddo siarad, roedd wedi troi i syllu'n ôl yn hiraethus ar y dyn a'i enwair a'i bicnic. 'Felly, pwy ŵyr . . .'

'. . . na chewch chi wahoddiad rywbryd, ia syr? Yn rhyfadd iawn . . .' Winc eto i'r drych. '. . . ro'n i jest yn deud wrth Dybliw Pî Sî Morgan, lle mor handi fasa tŷ fel hwn ichi, o'i neud o i fyny. Fasa raid ichi ond camu ar draws y ffordd bob dydd i gael pysgota.'

Disgwyliai druth am ei hyfdra ond yn hytrach na hynny fe syllodd ei Inspector gyda diddordeb newydd ar y murddun ac yna'n ôl eto at y llyn. 'Hm!' meddai, fel petai'r syniad yn apelio.

Roedd y gwrychoedd criafol a drain duon yn cau amdanynt unwaith eto, yn dynnach rŵan nes taflu bwa isel dros y lôn garegog a chreu cysgod braf rhag yr haul. Ffynnai pob math o weiriach a bloda yn y cysgod hwnnw – meillion, fioledau, briallu melyn, bwtsias y gog, llygad y dydd ac ambell lygad-llo-bach, blodau cnau daear . . . – ac er nad oedden nhw gallach be oedd llawer o'r blodau hynny, roedd y tri yn y car yn gneud ati, trwy ffenestri llydan agored, i lyncu cymaint ag a allen nhw o'r bywyd iach o'u cwmpas.

'On'd yw e'n lle 'yfryd, Inspector? 'Ych chi'm yn cretu?'

'Mm!' Er yn gyndyn, roedd yn cytuno.

Dî Sî fu gynta i weld Tanpistyll, a hynny wrth i'r lôn adael canopi'r coed o'i hôl. 'Nacw ydio, siŵr o fod!'

Yn glaerwyn yn yr haul a'r pellter o'u blaen, fel pe bai'n perthyn i fyd ac i oes arall, swatiai ffermdy yn erbyn y llechwedd a'i ffenestri wedi eu dallu gan oleuni'r dydd. Gerllaw iddo, sgubor hir a rhwd ei tho yn tanio'n goch. Codai'r llethr uwchlaw'r tŷ yn wyrdd dan redyn ir gydag ambell goeden ddrain yn gwmwl bychan gwyn yn ei ganol. A thrwy'r serthedd rhedai nant yn graith glaerwen dros bistyll craig, ar ei ffordd o'r mignedd i lawr gwlad. Yn y cae-dan-tŷ rhannai defaid ac ŵyn eu porfa efo gyr o fustych duon, ac yn is na hwnnw wedyn, yn nhroed y llechwedd, roedd darn o dir newydd gael ei aredig yn gwysi coch unionsyth.

'O mae'n 'yfryd yma! Nefodd ar ddîar.'

Ac unwaith eto daeth sŵn cytuno o yddfau'r ddau ddyn.

*   *   *

'Arclwydd mawr! O lle dôth hwn, mwya sydyn?'

Roedd gŵr tal ond gwargrwm wedi ymddangos fel pe bai trwy wyrth ar ganol y buarth o'u blaen, a dau gi defaid coch a gwyn yn chwarae mig o gwmpas ei draed. Rhaid ei fod wedi clywed y car yn sgrytian dros anwastadrwydd y cowt ac wedi brysio allan o rywle neu'i gilydd i'w dyffeio nhw.

'Be ar y dduar . . .?' Safai yno'n craffu, trwy lygaid cul ac aeliau trwchus, ar sgrin wynt y car. Roedd deuddydd neu fwy o dyfiant am ei ên ac roedd awel y mynydd yn gneud hwyl o'i wallt tenau. Amdano gwisgai lodrau melfaréd llac, eu brethyn yn deneuach ac yn felynach dros y ddau ben-glin, a chrys llwyd oedd â'i fotyma ucha heb eu cau i guddio blew gwyn y frest. Prin bod ar y trowsus angen y bresus i'w ddal, gan fod belt lledar llydan yn gwasgu'n anghyfforddus o dynn am ei ganol.

'Mae o fel rwbath allan o lyfr, ne ffilm!'

'Watsia dy dafod, Dî Sî! Cofia fod dy ffenast di ar agor.'

Ym mhen pella'r buarth, wedi eu gadael yno megis ar frys, safai tractor John Deere newydd sbon a Peugeot 306 blwydd oed, y ddau'n gwisgo sgert o fwd a thail wedi sychu. Ar foned cynnes y car cysgai cath ddu yn dorch yn yr haul.

'Be dech chi moen?' Roedd gweld rhai mor barchus eu golwg, yn cyrraedd mewn car mawr diarth, wedi tanio'i ddrwgdybiaeth gynhenid. 'Does dim tai ar werth yn y cwm.' Dyna pryd y sylwodd ar iwnifform y blismones yng nghefn y car a sobrodd beth.

Anwybyddodd Inspector dôn anghwrtais y llais. 'Mustyr Vuckan? . . . Mustyr Thomas Vuckan?'

'Nâicie. Fy mrawd fydde hwnne. *Robet* Fychan ydw i . . . *Mustyr* Robet Fychan,' ychwanegodd yn ffug-fawreddog, fel pe bai'n gwatwar.

56

'Wncwl Robet!' sibrydodd y blismones yng nghlust Dî Sî. *Y llibin tene!*

'Ydi'ch brawd o gwmpas, Mr Vuckan?' Roedd yr Inspector wedi dringo allan o'r car, i'w wynebu, ar yr un pryd yn ymwybodol o'r cŵn oedd rŵan yn cylchu'n ddanheddog o gwmpas ei sodla.

'Nêcdi. Ma fo a Gwilym mewn cligeth yn Llanbremair.'

'O! Nid profedigaeth deuluol gobeithio?'

'Nâcie.'

'Pryd down nhw'n ôl, dach chi'n meddwl?'

'Does synied gien i. Cyn nos gobeithio! Pam dech chi'n gofin, beth bynneg?'

'Be am Alun ta? Ydi o ar gael?'

Sythodd y cefn gwargrymog i'w lawn daldra a rhythodd Yncl Robet arnyn nhw, o un i'r llall. 'Pwy gythrel ydech chi, yn holi peth felne?'

Daliodd Inspector ei gerdyn adnabod o dan drwyn y ffermwr. 'Heddlu. Felly wnewch chi ddeud wrtha i a yw Mr Alun Vuckan ar gael ai peidio, syr? Mae'r mater yn un pwysig.'

'Dyw Alun ddim wedi bod ar giael ers blynydde, gyfell. Ddim ers iddo foddi ym mhwll y ceinent beder blynedd ar ddeg yn ôl.'

'O!' Am eiliad aed â'r gwynt o hwylia'r plismon. 'Mae'n wir ddrwg gen i. Wyddwn i ddim neu fyddwn i byth wedi holi. Ond gan mai felly mae petha, yna mi fydd raid inni aros i Mr Thomas Vuckan ddod yn ei ôl.'

'Yna rheitiach ichi ddod i'r tŷ. Fe geith Megan wneud paned ichi.'

Edrychodd yr Inspector a'r blismones ar ei gilydd. Megan! Roedd yr enw'n gyfarwydd.

'Megan? A phwy yw Megan, Mr Vuckan? Eich gwraig?'

'Nâicie. Dêch chi ddim yn gwybod rhyw lawer, ydech chi? Megan yw Misis *Tomos* Fychan, fy whaer-yng-nghyfreth.'

Yr un edrychiad eto rhwng dau heddwas.

'Mam . . .?'

'Nâicie ddim. Mem neb!'

A heb air o eglurhad pellach, trodd ar ei sawdl a'u harwain i'r tŷ, efo'r cŵn hefyd yn dilyn.

*   *   *

'Rhaid ichi fadde imi, yn dal i snwffien fel hyn. Mae'r hyn dech chi newydd i ddeud wedi bod yn sioc fewr inni a deud y lleie.'

Roedd hi'n sefyll uwch eu pennau, yn gwylio'r tri yn mwynhau eu te a bara menyn a jam cartra. Eisteddai ei brawd-yng-nghyfraith yn fud yng nghysgodion y gegin, rywle o'i hôl. Efo cefn ei law, brwsiodd ddeigryn o gornel ei llygad. 'Fel ro'n i'n deud . . . ac fe wneith Robet gytuno, yn gwnei Robet? . . . den ni ddim wedi clywed giair orwth Anghiarad ers iddi adel cartre yr holl flynydde'n ôl. Faint sy, Robet? Ugen mlynedd siŵr o fod . . .'

Daeth mwmblan cadarnhad o gyfeiriad y dewyrth.

'. . . Ma'n anodd credu'i bot hi wedi dod i'r fêth ddiwedd. Ydi wir.' Roedd dagrau newydd yn cronni. 'Gresyn na fydden ni wedi cial cyfle i'w gwelt hi cyn . . .'

58

'Pam aeth hi, Mrs Vuckan? Faint fysai'i hoed hi ar y pryd?'

Gwingodd Dî Sî wrth glywed ei uwch-swyddog yn rhuthro i newid cyfeiriad y sgwrs. Ar yr un pryd, ni chollodd mo'r cip arwyddocaol rhwng Megan Fychan a'i brawd-yng-nghyfraith.

'Anodd deud pam yr êth hi, wir. Pymtheg oed oedd hi, chi'n gweld . . . oed go anodd, fel dech chi'n gwybod, dwi'n siŵr.'

'Ddaru hi ffraeo efo rhywun o'r teulu? Fedrwch chi ddeud hynny wrtha i?'

'Na, fu dim byd o'r fêth rhyngton ni. A deud y gwir, Inspector, mi fase'n well ichi aros i gial giair efo'i thêt hi. Fydd Tomos ddim yn hir, does bosib.' Roedd Megan Fychan yn mynd yn fwy anghysurus wrth y funud.

'Pam dech chi isie'r wybodeth, beth bynneg?' Camodd Yncl Robet ymlaen o'r cysgodion. 'Os ydi'r lodes fech yn farw, yne heddwch i'w hened hi ddwede i. Pa werth sydd mewn crafu am sgerbyde?'

'Sgerbydau, Mr Vuckan? Pwy soniodd am sgerbydau?'

Caed oedi eiliad cyn ateb, fel 'tai cwestiwn yr Inspector wedi'i daflu braidd oddi ar ei echel. 'Ond dyne dech chi'n neud, yndê? Fel ma Megan newydd 'i ddeud wrthoch chi, ma ugen mlynedd er pan êth Anghiarad odd'ma a dyw hi ddim wedi ciadw unrhyw gysylltied â'i theulu ers hynny. Pa werth agor creithie i'w thêt hi rŵan?'

'Y peth ola dwi isio'i neud, Mr Vuckan, ydi agor creithiau i neb, ond mae 'na rai pethau y mae'n rhaid i ninna'u gneud. Rydach chi'n sylweddoli hynny, dwi'n siŵr.'

Tynnodd Megan Fychan gadair at y bwrdd ac eistedd ynddi, rhwng yr Inspector a'r blismones, fel petai hi'n gobeithio ennill cefnogaeth honno. Pan siaradodd, roedd taerineb newydd yn ei llais.

'Rhyw ffraeo bêch gwirion fu rhyngtyn nw ugen mlynedd yn ôl ond fe êth Anghiarad i ffwr heb ddeud giair wrth 'i thêd. Dwi'n ofni ma fi oedd yr achos am hynny, Inspector. Dech chi'n gweld, roedd Anghiarad yn teimlo mod i wedi mynd â lle'i mem hi. Chi wedi diall yn barod, dwi'n siŵr, ma mem wen ydw i . . . oeddwn i . . . i Anghiarad.'

'Roedden ni *yn* sylweddoli hynny, Mrs Vuckan. Fe ddeudodd Angharad gymaint â hynny wrthon ni cyn . . .' Trwy godi mymryn ar ei ysgwyddau, llwyddodd nid yn unig i gyfleu diwedd y frawddeg ond hefyd i awgrymu bod Angharad wedi datgelu mwy ar ei gwely angau nag a wnaeth hi mewn gwirionedd. 'Ga i ofyn pryd y bu gwraig gynta'ch gŵr farw?'

'Peder oed oedd Anghiarad fech ar y pryd, yn'de Robet? Ac Alun flwyddyn yn hŷn.'

Gwelsant hwnnw'n cytuno'r mymryn lleia efo'i ben.

'A sut bu hi farw?'

'Damwen anffodus. Ma Robet yn gwbod yn well ne fi. Fe dagodd hi ar 'i swper un nosweth. Asgwrn pysgodyn yn mynd yn groes yn ei gwddw.' Edrychodd i fyny eto am gefnogaeth ei brawd-yng-nghyfraith, a'i gael.

'Dim ond peder blynedd ar ugen oedd hi,' meddai hwnnw. 'A Tomos ddeufis yn hŷn.'

'Trist iawn.' A heb ddeall pam, cofiodd yr Inspector am y brithyll hwnnw'n llithro'n lliwgar ac yn farw i fag y pysgotwr, gynnau. 'A faint o blant oedd o'r briodas?'

'Dim ond dau. Alun ac Anghiarad. Ma Alun hefyd, druen, wedi mynd.'

'Felly'r o'n i'n deall oddi wrth Mr Vuckan, yn fama. Trist iawn. Ond be sy'n gneud ichi feddwl mai chi oedd yr achos i Anne Harâd adael cartra, Mrs Vuckan?'

'Ar ôl marw Meirwen . . . dyne oedd enw mem Anghiarad . . . fe arhosodd Tomos a finne beder blynedd cyn priodi ac fe wnes i bopeth o fewn fy ngiallu i fod yn giaredig wrth y plant ond roedden nhw'n cyrredd oed go anodd, chi'n diall, ac yn mynd i ffruo'n amlech ac yn amlech 'fo'u têd . . .' Ailddechreuodd snwffian.

'Oes angien hyn?'

Beth bynnag am yr Inspector, oedd yn amlwg am anwybyddu protest Yncl Robet, fe deimlai Dî Sî a'r blismones fach gryn euogrwydd o fod, ar y naill law, yn rhan o'r ddrama boenus tra ar y llaw arall yn mwynhau'r bwyd ac yn manteisio ar groeso Megan Fychan.

'A fu dim cysylltiad o gwbwl, dach chi'n deud, rhyngddoch chi ac Anne Harâd ar ôl iddi adael cartre? Dim llythyr na dim?'

'Dim byd, Inspector. Wel do . . . rhag imi ddeud clwydde wrthoch chi. Dech chi'n gweld, ar ôl iddi hi adel fe êth Tomos at yr heddlu i ddeud 'i bot hi ar goll ac wedyn, am bod rheini'n gneud cyn lleied medde fo, fe dalodd i dditectif preifet neud ymholiade yn ei

61

chylch. Dwn i ddim sut, ond fe geth hwnnw'i hanes hi yn Lloeger yn rwle ac fe êth Tomos a Robet i chwilio amdeni. Ac fe gesoch chi afel arni hefyd, yn do Robet?'

'Do. Ond Tomos êth ei hun os cofi di Megan. Fe fethes i â mynd ar y funud ola oherwydd, os cofie i'n iawn, ro'n i'n diodde'n go ddrwg efo nghefen ar y pryd. Ond fe êth Tomos, ac fe gêth afel arni. Roedd o'n barod i'w llusgo hi'n ôl yma, pe bei raid, medde fo wrtho i wedyn, achos roedd hi'n tyngu na ddôi hi byth yn ôl yma fel arall.'

'Felly, be ddigwyddodd?'

'Mi ddaru hi dwlyd llwch i'w lyged o, decinî, oherwydd rywsut ne'i gilydd mi ddaru hi ddengyd o'i afel o eto ac mi oedd reid iddo ddod 'nôl yma hebddi. Fe ddyle fo fod wedi rhoi gwell llyffether arni, dyne dwi'n ddeud. Sut bynneg, dyne'r tro dwethe iddo fo'i gweld hi.'

'Na chlywed dim oddi wrthi, Inspector. Fe fethodd y ditectif ag ailgodi trywydd arni ac fe roddodd ei gardie'n to yn fuan wedi hynny. Ac fe ddêth Tomos, gydag amser, i dderbyn na fydde fo byth yn ei gweld hi eto . . . Nid yn fyw, beth bynneg,' ychwanegodd ac estyn unwaith yn rhagor am ei hances i sychu'i dagrau.

'Ia . . . wel . . . mae gen i ofn y bydd raid i rywun ohonoch chi ddod i adnabod y corff, Mrs Vuckan, a hynny mor fuan ag sydd bosib ar ôl y trengholiad.'

'Ge i ofyn ffafar gennoch chi 'te, Inspector? Wnewch chi adel i *mi* dorri'r newydd drwg i Tomos? Mi fydde hynny'n garedicech, dech chi'm yn meddwl?'

Synhwyrodd yr uwch-swyddog fod ei ddau

gydweithiwr hefyd yn gweld rheswm yn y cais a methai weld bod ganddo ynta'i hun chwaith unrhyw wrthwynebiad o bwys. Heblaw hynny, doedd ganddo fawr o awydd sefyllian o gwmpas y fferm am falla awr neu ragor eto nes i Tomos Fychan ddod 'nôl.

'Iawn, Mrs Vuckan. Ond ga i ofyn pwy ydi Gwilym? Ai eich mab *chi* ydi o?'

Edrychodd Megan Fychan draw, a ddaeth ei hatebiad hi ddim yn syth. 'Ie, chi'n iawn. I bod pwrpas, fy mêb i ydi Gwilym.'

*   *   *

Wrth i Robet a Megan eu danfon at y car, syllai'r blismones fach o'i chwmpas fel plentyn yn gweld rhyfeddodau, gan ffroeni'r aroglau fferm fel petai rheini'n rhai melys. Gneud trwyn wnâi Dî Sî, fodd bynnag, tra ar yr un pryd yn cadw llygad gwyliadwrus ar y ddau gi oedd rŵan yn ffroeni ei sodlau yntau; a rhyw daflu golygon trwynsur, mwy ymchwilgar, yma ac acw a wnâi'r Inspector, fel petai'n awyddus i fynd â darlun manwl o'r lle yn ôl efo fo yn ei ben.

'Rodd y te'n lyfli, Mrs Fychan. Wir ichi! Cheso fi ddim dishgled fel honne ers cantoedd. Ac rodd y bara menyn a'r teisenne'n lyfli 'efyd.'

Gwenodd Megan arni. 'Ydi, ma dŵr y ffynnon yn gneud paned go ddê.'

'A shwt 'ych chi'n paso'r amser yma? Yn y g'ia, wi'n feddwl!'

Lledodd y wên. 'Ein gweld ni'n byw mewn lle anghysbell dech chi?'

63

Gwridodd y blismones fach fymryn a gwelodd Megan ei anghysur.

'Ma digon i'w neud yma, haf a gaea, coeliwch chi fi. Gwaith fferm yn ystod y dydd, ac ar fin nose . . . wel, ma'r dynion 'ma'n cial eu spôr ar y teledu mi ellwch chi fentro! Ma nhw'n cial gwerth eu harien o'r lloeren fêch i fyny fencw.' Arwyddodd efo'i phen at yr êrial a osodwyd yn uchel ar y llechwedd uwch eu pennau. 'Mi fydde hi ar ben yma pe baen nhw ddim yn cial eu pêl-droed dros y gaea.' A chwarddodd. 'Ond amdana i, ma'n well gien i roi fy mhen mewn llyfyr.'

'O! Wi'n lico darllen nofele fy hun.'

'Barddoniaeth ydi fy nileit i. Tra ma *nhw*'n watsio'u ffwtbol, mi fydde i'n mynd i'r llofft i gial llonydd i ddarllen barddoniaeth. A'i ddarllen o'n uchel, chi'n diall!' Gwenodd eto. 'T. Gwynn Jones ac Alan Llwyd a beirdd fel'ne fydde i'n hoffi. A beirdd Maldwyn 'me hefyd, wrth gwrs. Ma nhwthe'n ddê iawn. Beirdd y cynganeddion. A deud y gwir, ma Gwilym yn fwy o ffén o farddoniaeth ne fi, hyd yn oed! Ma fo'n sgrifennu'i farddoniaeth 'i hun . . . ac wedi darllen 'i waith ar Talwrn y radio unweth, cofiwch!'

Os oedd Megan wedi disgwyl ymateb gwerthfawrogol i'r wybodaeth, yna fe'i siomwyd, oherwydd roedd y blismones fach mewn cae arall o ddiwylliant, fel y tystiai'r dryswch yn ei llygaid. Ond fe ddaeth gwaredigaeth iddi, mwya sydyn, a hynny rywle o'r llechwedd uwchben! 'A! Glywi di, Dî Sî?' gwaeddodd, ei llygaid yn gloywi a'i llais yn llawn cyffro 'Y gwcw! A ma hi'n canu'n agos on'd yw hi? Smo fi riôd weti clywed y gwcw'n canu mor agos o'r blân, na mor hapus. Ŷt ti?'

Lledodd gwên gyndyn dros wyneb y ditectif gwnstabl hefyd wrth iddo sylweddoli bod y profiad yn amheuthun o newydd iddo ynta. 'Na. A deud y gwir, dyma'r tro cynta i mi'i chlywad hi erioed. Be amdanoch chi, Inspector?'

'Hm! Naddo.' Er yr ymdrech i swnio'n ddidaro, eto i gyd roedd ynta'n ei chael yn anodd celu'i ddiddordeb a'i foddhad.

'Decw hi!' Pwyntiai Robet at bwt o graig yn gwthio allan o'r llechwedd uwch eu pen, lle'r oedd y gog wrthi'n prysur ddeunodi i gyfeiliant cyson sŵn y pistyll. 'Ma hi yma'n gynner bob blwyddyn, ond fe fydd hi'n giadel gyda hyn. Dech chi'n ffodus iawn i gial 'i gweld hi! Ma hi'n dderyn swil.'

Erbyn iddyn nhw groesi'r buarth ac oedi yn fan'no i bwyso yn erbyn pwt o wal garreg gynnes ac i syllu i lawr dros y cwm, roedd y canu dwydonog wedi peidio. Yn ei le deuai sŵn cras y bustych yn rhwygo'r borfa oddi ar y llechwedd odditanynt.

'Gwilym dderu redig necw!'

Wrth gynnig y wybodaeth, roedd Robet yn cyfeirio i lawr at y darn tir oedd wedi cael ei droi'n gwysi mor gymen. Ni chollodd yr Inspector y balchder yn y llais a'r gwyneb, a chymerodd yn ganiataol mai'r dewyrth oedd wedi dysgu'r grefft i'r llanc.

'A ma' fo'n medru plygu gwrych a chau bwlch yn shetin ciystal â neb.'

'O! Deudwch chi!'

'Cyw o frîd! Ynde, Megan?'

Nodiodd honno gyda gwên braidd yn drist.

'O? A be 'di oed Gwilym?'

'Mi fydd o'n un ar ugen fis Hydre nesa. A rhyw ddiwrnod, fo fydd yn ffermio Tanpistyll.'

'Ac mae hynny'n bwysig ichi, yn amlwg?'

Trodd Robet Fychan ei ben i syllu'n ddifrifol i fyw llygad y plismon. 'Inspector! Tomos a finne ydi'r bumed genedleth o'n teulu ni i ffermio 'me. Gwilym fydd y nese, a'i fêb a'i wyrion ynte ar ei ôl, gobeithio. Os ciaiff o lonydd, ynde?

'Llonydd, Mr Vuckan?'

'Ie. Ma hi'n go anodd ar amethyddieth y dyddie yma, Inspector. Mi fuon *ni*'n lwcus iawn i osgoi'r clwy yn ddiwedder – y traed a'r gene dwi'n feddwl! – o styried bod marchned Trallwm mor agos.'

'A! Wrth gwrs!' Cofiai'r Inspector gysylltiad y farchnad honno â lledaeniad y clwyf yn y rhan yma o'r wlad.

'Ond doedden ni fewr ciallach chwaith, cofiwch, oherwydd chethon ni ddim symud anifeilied am fisoedd wedi hynny. Rhwng y clwy a'r probleme Bî És I a Sî Jê Dî a phethe felly, a styfnigrwidd y Ffrencwyr yn gwrthod ein cynnyrch ni, den ni wedi diodde'n gythrel dros y blynedde dwethe. Felly mi fedrech chi ddeud bod Gwilym wedi gorfod cychwyn o'r gweilod, mewn llawer ystyr.'

'Cychwyn?'

'Ie. Newydd orffen cwrs yn y coleg amethyddieth ma' fo. Ma gianddo ddiddordeb mewn ffermio'n orgianig, chi'n diall.'

'Ac adra'n ffarmio mae o am fod felly, ia?'

Lledodd gwefusau Robet Fychan mewn gwên dynn. 'Cyw a fegir yn uffern, yn uffern y myn fod, Inspector! Ac fel ro'n i'n deud, gynne, ma Gwilym yn giw o frîd! I ble dech *chi*'n perthin 'te, Inspector?'

Daliwyd y plismon, braidd, gan sydynrwydd y cwestiwn. 'I *bwy* dach chi'n feddwl?' Medrai ddeall perthynas rhwng pobol a'i gilydd ond ddim rhwng pobol a lle.

Ond edrych draw wnaeth y ffermwr, fel pe bai wedi sylweddoli nad oedd bwynt iddo drio egluro.

Tu draw i'r tir âr, a rhyw hanner ffordd i lawr at y llyn oedd fel drych disglair yn y pellter, diflannai afonig y cwm i geunant bychan coediog.

'Rhaid ei bod hi wedi glawio cryn dipyn yma. Mae 'na li go lew yn yr afon.'

'Den ni'n ciâl ein siêr o ddŵr, Inspector, fel pewb arall am wn i, ond mae wedi bod yn sych ers deuddydd newr. Y mignedd ar y topie 'na sy'n dal yn soeglyd, dyne pem ma cyment o ddŵr yn y pistyll. A dê hynny, neu fydde'r jenyrêtor yn dê i ddim i roi letrig inni.'

'Deudwch i mi, Mr Vuckan! Oes pysgod yn yr afon?'

Welodd yr un o'r ddau mo'r winc ddireidus rhwng Dî Sî a'r blismones fach.

'Oes, digonedd.'

'O! A fyddwch chi'n pysgota o gwbwl?'

'Anamal iawn erbyn hyn, gwaethe'r modd. Dyw bywyd fferm ddim yn giadel llawer o amser i bethe fel'ne. Pam dech chi'n gofyn?'

'Dim rheswm arbennig. Dim ond ein bod ni wedi

bod yn gwylio rhywun wrthi gynnau, ar y llyn yn is i lawr.'

'Llyn Llyged Hwch! A! Ma' pysgod bref yno.'

'Oes yn wir! Ro'n i wrth fy modd yn ei wylio fo wrthi.'

'Dech chi'n pysgota'ch hun 'te, Inspector?'

'Bob cyfla ga i, wchi. Bob cyfla ga i . . .'

'O! Dê iawn!' A throdd Robet i'w danfon nhw at y car.

'. . . Ond wyddoch chi be, Mr Vuckan? Ches i rioed gyfle i bysgota mewn lle mor braf. Lle medrwn i gael trwydded i neud hynny, deudwch?'

Rhaid bod Dî Sî wedi llyncu pry bach yr eiliad honno oherwydd fe gafodd blwc sydyn o glirio'i wddw, er mawr ddifyrrwch i'r blismones wrth ei ymyl.

'Ni pie Llyn Llyged Hwch, Inspector. Pysgotwch chi yno unrhyw bryd chi'n moen.'

'Wel diolch yn fawr iawn ichi, Mr Vuckan. Mi fydda i'n siŵr o'ch cymryd chi ar eich gair.'

Roedd y crafu gwddw erbyn rŵan yn tynnu dagra i lygaid y ditectif gwnstabl, ac yn boddi sŵn cwymp y pistyll o'u hôl, yn ogystal â chân drist y gog yn y pellter.

*   *   *

'Gwastraff o ddiwrnod, syr! Dach chi'm yn meddwl?'

Gan fod yr Inspector yn smalio cysgu, neu falla'n ddwfn yn ei feddylia'i hun ac felly ddim am ateb, gwyrodd y blismones ymlaen o'r sedd gefn a dal llygad Dî Sî yn y drych. 'Shwt yffach alli di weud shwt beth?

Rôdd y lle'n lyfli, w. Fe geson ni de lyfli . . . ac fe geson ni *weld* y gwcw achan! Smo ti'n gwpod mor lwcus ti 'di bod.'

Crymodd y gyrrwr ei ben y mymryn lleia i gydnabod cymaint â hynny. 'Ond fawr mwy, naddo, o styried cymaint o siwrna ydi hi wedi bod inni. Cyn bellad ag y mae arestio Marco Mathews yn y cwestiwn, dydan ni'n ddim nes i'r lan, oherwydd doeddan nhw ddim hyd yn oed wedi clywad ei enw fo.'

'A be di dy farn *di* am y bobol 'na, Dî Sî?' Er yn gofyn y cwestiwn, cadwai'r Inspector ei lygaid yn dynn ar gau.

'O! Dach chi *yn* effro felly, syr? . . . Fy marn i amdanyn nhw? Weeel! . . . Digon clên on'd oeddan nhw? Mrs Vuckan yn annwyl iawn ro'n i'n meddwl. Dynas radlon braf, dwi'n siŵr, o dan amgylchiada gwahanol . . .'

'Wi'n cytuno. Rôdd hi'n lyfli.'

'. . . Ac roedd ynta, Mr Vuckan, yn ddigon clên hefyd ro'n i'n meddwl . . . a chymwynasgar . . . dwi'n siŵr y cytunwch chi, syr.' Winciodd yn awgrymog i'r drych. 'Hen ffasiwn ar y naw wrth gwrs, ond mae hynny i'w ddisgwyl mae'n debyg, mewn twll din byd fel hwn'na.'

'Hen ffasiwn, Dî Sî?'

'Wel ia, yn y ffordd roedd o'n gwisgo . . . yn y ffordd roedd o'n siarad . . . yn y ffordd roedden nhw'n byw . . . ond fel arall roedd o'n hen foi iawn am wn i.'

'Smo fi'n cytuno 'da ti. Smo fi'n 'i lico *fe* o gwbwl.'

Agorodd yr Inspector ei lygaid. 'O? A pham hynny?'

'Pidwch â gofyn pam, ond smo fi'n 'i drysto fe, syr.'

'Ond dwi *am* ofyn iti! Felly deud wrtha i *pam* nad wyt ti'n i drystio fo?'

'Jest rwbeth ddwetodd Angharad, 'na i gyd. A 'se chi'n gofyn i fi, dyw Megan ddim yn 'i lico fe ryw lawer chwaith. Shwt bynnag, smo fi'n cretu bod Wncwl Robet yn becso llawer bod Angharad weti marw.'

'O?'

'Nath e ddim ddangos dim galar ta beth. Ac rodd 'da fe ofon sgerbyde, smo chi'n cretu?'

'Mi fedrwn ni anghofio amdanyn nhw rŵan, beth bynnag. Y teulu dwi'n feddwl.'

'O? A pham wyt ti'n deud hynny, Dî Sî?'

'Wel, os ydan ni'n derbyn eu gair nhw, na ddaru Anne Harâd gysylltu o gwbwl efo'i theulu, trwy lythyr na dim arall, yna go brin y medran nhw'n helpu ni i roi Marco Mathews yn y clinc. A fo, wedi'r cyfan, ydi'n targed ni 'nde?'

'Ia, mae'n debyg dy fod ti'n iawn Dî Sî . . . mae'n debyg dy fod ti'n iawn . . . Ond fe gawn ni weld.'

WELCOME TO ENGLAND. Gwibiodd yr arwydd coch a gwyn heibio a chaeodd yr Inspector ei lygaid eto'n dynn.

Pennod 7

Aethai deuddydd heibio ac roedd adroddiad y patholegydd yn gorwedd ar ei ddesg pan gyrhaeddodd ei swyddfa, ben bore. Ochneidiodd yn uchel, yna cydiodd yn ddiamynedd yn y ffeil i'w hagor. Roedd isio stumog i wynebu diwrnod o waith, meddyliodd, ond roedd 'na domen o hwnnw'n ei aros a Phrif Arolygydd afresymol o ddiamynedd i'w fodloni. Ac ar ben y cwbwl, roedd o wedi cael ffrae waeth nag arfer efo'r wraig cyn gadael y tŷ. Hi wedi bygwth ei adael a mynd at ei rhieni i fyw; fo, yn ei dymer goch, wedi deud wrthi am fynd i'r diawl; hi wedi sgyrnygu y byddai hi'n mynd â'r plant efo hi; fo (o'r diwedd!) wedi edliw tadolaeth *'o leia un ohonyn nhw'* iddi; hi wedi sgrechian dros y tŷ a'i alw fo'n hen fasdad clwyddog a drwgdybus; fo, heb frecwast na dim yn ei fol, wedi clepian y drws o'i ôl, ar sŵn ei chrio hi a chrio'i phlant. *Arclwydd mawr!*

'Bore da, syr! Welsoch chi'r . . .?'

'Dwi 'di gweld dim byd eto, Dî Sî! Gwna goffi imi, wir dduw!'

Hyd y gwelai, doedd fawr o ddim byd newydd yn yr adroddiad. Cadarnhad mai gwaedlif yn y pen oedd wedi'i lladd hi yn y diwedd ond bod niweidiau difrifol eraill wedi cyfrannu'n ogystal. Cadarnhad hefyd o'r hyn roedd Fforensig eisoes wedi'i benderfynu, sef bod pwy bynnag a geisiodd ei thagu hi wedi bod yn gwisgo menig ar y pryd ac felly heb adael unrhyw olion bysedd ar groen ei gwddw.

71

'Gyda llaw, syr! Newydd da!'

'O?'

'Y *peeping Tom* ar Fenton Avenue! Mae o i mewn gynnon ni.'

Yn ddifeddwl, sodrodd y ditectif gwnstabl y mŵg llawn ar ben ffeil y patholegydd.

'Diawl erioed, Dî Sî! Gwatsia be ti'n neud, wir dduw!' Roedd tin gwlyb y mŵg wedi gadael cylch tywyll yn staen ar y ffeil felen.

'Sori!' *Ond mi fedret titha ddeud 'Diolch' hefyd, y bwbach!*

'Sori o ddiawl! . . . A dyna dy *newydd da* di? Y *Peeping Tom*?' Chwarddodd yn fyr ac yn chwerw. 'Grêt! Mi fydd y *Chief* wrth ei fodd efo'r fath lwyddiant ysgubol. Synnwn i ddim na ddaw o i lawr yma'n unswydd i'n llongyfarch ni.'

'Jyst meddwl y basach chi'n falch o glywad, dyna i gyd.' *Yr uffar sarcastig!* 'Gyda llaw, dach chi *yn* cofio bod Mr Vuckan, tad y ferch a laddwyd, yn dod yma o Gymru heddiw i adnabod y corff?'

Shit! Na, doedd o ddim *yn* cofio ond y peth ola i neud oedd cydnabod hynny. 'Gwranda! Fydd gen i ddim amser i fod efo fo. Delia di efo'r busnas, Dî Sî. Rŵan gwna'n siŵr nad oes neb yn fy styrbio fi am yr hannar awr nesa, imi gael llonydd i ddarllan yr adroddiad 'ma.'

Fel y caeai Dî Sî'r drws o'i ôl, roedd Inspector yn tynnu catalog lliwgar o boced ddofn ei anorac, JOHN NORRIS OF PENRITH ar ei glawr, a llun deniadol o ddyn mewn côt Barbour, efo genwair yn ei law a chi hela wrth ei draed, yn sefyll yn hapus-fodlon ar lan afon lydan. FOR ALL YOUR QUALITY FISHING EQUIPMENT, COUNTRY CLOTHING, FOOTWEAR AND GIFTS. Trodd at y clawr cefn am rif ffôn a thynnu'i gerdyn banc o'i waled a rhestr barod o boced ei gôt. Ugain munud yn ddiweddarach, roedd wedi archebu'i anghenion – genwair bluen (Orvis Clearwater 10 troedfedd – 'Cystal â dim, syr, ac yn fargen am £187.00. Gwarant 25 mlynedd arni!'); rîl (Orvis Battenkill £71.50 a sbŵl ychwanegol £31); lein bwrpasol i bysgota plu sych (Hardy Ultralite £48.95) a lein yr un mor bwrpasol ar gyfer plu gwlyb (Hardy Wet Fly Super Fast and Deep Sinking £39.95); rhwyd i blygu'n hwylus ar ei gefn (£69.50); bocs plu (Wheatley De Luxe £26.95) a dwsin o blu i fynd ynddo fo – 'Pa blu, syr?' 'Brickuh Grow plîs' – Roedd llwyddiant honno ar lyn Clincluggah Hooke yn ddihareb iddo bellach – 'Sori syr. Rioed wedi clywed amdani.' 'O! Dewiswch chi, felly. Rwbath lliwgar neith tro.' 'Sut blu ta, syr? Gwlyb ta sych?' 'O! Ym! Hanner dwsin o bob un.' (£7.20); bag (Snowbee (£22); *waders* – 'Pa fath, syr? *Thigh* ta *chest waders*?' 'Ym! *Chest* am wn i. Rhai da.' (Snowbee Prestige Neoprene, felly. £135), a llyfr *Flies of Wales* Moc Morgan (£20). 'Pryd fedra i ddisgwyl eu derbyn nhw?' 'O! Mi fyddan nhw efo chi o fewn y tridia nesa, syr. Efo Securicor.' 'Da iawn. Trefnwch iddyn nhw gael eu hanfon yma, i Swyddfa'r Heddlu, yn hytrach nag i'r cyfeiriad cartre.' 'Dim problem . . .'

Wrth iddo archebu, roedd wedi bod yn codi pris pob peth o'r catalog i'r darn papur o'i flaen ond heb eto weithio'r cyfanswm.

'. . . mi fyddwn ni felly, syr, yn tsarjio chwe chant a phum deg a naw o bunnoedd a phum ceiniog ar eich cerdyn.'

Arclwydd mawr! Cymaint â hynny? 'O! Iawn.'

Be ddeudai'r wraig . . . os câi hi wybod? *Cheith hi ddim gwybod, siŵr dduw! Does dim rhaid imi ddeud diawl o ddim wrthi, a hitha wedi nhwyllo fi ar hyd y blynyddoedd.*

Daeth cnoc ysgafn ar y drws a hwnnw'n agor fwy neu lai yn syth. 'Syr! Mae teulu Anne Harâd Vuckan wedi cyrraedd.'

'Diawl erioed, Dî Sî! Dwi wedi deud wrthat ti'n barod . . .!'

'Do, dwi'n gwbod, syr, ond tasach chi'n aros imi orffan . . .'

'Wel?'

'Mae Mr a Mrs Thomas Vuckan yma, a Mr Robert Vuckan.'

'Felly delia di efo nhw, fel o'n i'n gofyn iti.'

'Mrs Vuckan, syr! Dydi hi ddim yn awyddus i ddod efo ni i'r mortiwari. Mae hi wedi gofyn geith hi air cyfrinachol efo chi.'

'Cyfrinachol?'

'Ia. Heb yn wbod i'w gŵr na'i brawd-yng-nghyfraith, mae'n debyg.'

'O? Diddorol iawn. Deud wrthi lle i ddod 'ta, a gofala dy fod ti'n rhoi digon o gyfle inni siarad. Hynny ydi, paid â chymryd y ffordd gynta i'r mortiwari efo nhw. Dallt?'

*   *   *

'Steddwch, Mrs Vuckan. Mae'n dda'ch gweld chi unwaith eto. Be ga i'i neud ichi?'

Roedd hi'n llwytach, meddyliodd, a'i thalcen yn crychu efo beth bynnag oedd yn pwyso ar ei meddwl. Sylwodd hefyd mai ar flaen y gadair y dewisodd hi eistedd, fel pe na bai'n fwriad ganddi aros yn hir. Adre ar y ffarm, yn ei dillad gwaith, roedd hi wedi'i daro fo fel rhywun doeth a hunanfeddiannol, er gwaetha'i dagra ar y diwrnod, ond yma rŵan, mewn dillad parch ac allan o'i chynefin, edrychai'n berson gwahanol, yn anghyfforddus ac allan o le. *Mae hi ar biga'r drain! Sgwn i pam?*

'Ymlaciwch, Mrs Vuckan! Gymrwch chi banad o de neu goffi?' Cododd y ffôn.

'Na. Gwrendwch, Inspector! Ma 'ne rwbeth dwi'n moen i ddeud . . .'

Yn yr ymdrech i wenu'n dosturiol arni, teimlodd ei wyneb yn cymryd siâp anghyfarwydd. 'Te 'ta coffi, Mrs Vuckan? Does dim rhaid ichi boeni. Mae gynnon ni ddigon o amser, coeliwch fi. Ddôn nhw ddim yn ôl am hanner awr o leia.'

'Te heb lâth na siwgwr felly. Diolch.'

'. . . a choffi arall i minna,' meddai i'r ffôn, cyn rhoi hwnnw'n ôl yn ei grud. 'Fe gawsoch siwrna hwylus yma, gobeithio? Dim gormod o draffig?'

'Na, roedd hi'n weddol fech. Distaw iawn yn y ciar 'i hun, wrth gwrs, gedol y daith, fel y bysech chi ddisgwyl, a ninne ar berwyl mor chwithig.'

'Wel ia. Mi fedra i ddychmygu hynny. Taith go boenus i'ch gŵr, yn reit siŵr. Sut mae o? Chi ta'ch brawd-yng-nghyfraith fu'n rhaid torri'r newydd drwg iddo fo?'

'Fi, Inspector. Ddwedodd o fewr o ddim, a deud y gwir, jest rhoi tro ar ei sawdwl a mynd allen o'r tŷ.'

'Oedd hynny'n eich synnu?'

'Negoedd. Fel'ne ma fo'n wynebu'i brobleme.'

'Be? Trwy ddianc oddi wrthyn nhw?'

'Nâicie wir, Inspector! Nid dengyd yr oedd Tomos. Fe êth i gerdded i lawr yr wtra cyn belled â Llyn Llyged Hwch i gial bod gyda'i feddylie a'i hireth ac erbyn iddo gyrredd y tŷ unweth eto roedd o'n barod i siared am y peth efo Robet a finne.'

'O?'

'Rhaid ichi ddiall sut ddyn ydio, Inspector. Dydi Tomos ddim yn 'i chial hi'n hawdd i siared efo pobol, yn enwedig am Anghiarad. Dech chi'n gweld, ma' Tomos yn diodde atal deud go ddrwg ac mae'r stytian yn mynd yn wêth pen ma fo wedi cynhyrfu.'

'O? Ac oes gan eich gŵr rywbeth y mae'n cael trafferth ei ddatgelu inni, Mrs Vuckan?'

'Na. Dydi o ddim wedi cielu dim, oherwydd dech chi ddim hyd yn oed wedi'i gwarfod o eto. Nê, me gien i ofan me fi sydd wedi cielu pethe. Dyna pam dwi wedi mynnu dod gyda nhw heddiw, Inspector, yn y gobeth o gial giair preifet 'fo chi.'

'O?'

Daeth curo ysgafn ar y drws ac ymddangosodd plismones efo hambwrdd ac arno de a choffi a hanner dwsin o fisgedi ar blât. Gwenodd Megan Fychan wên drist o ddiolch arni ac aros nes i'r drws gau eto o'i hôl.

'Fues i ddim yn gwbwl onest 'fo chi y dydd o'r blên. Fe ddwedes i wrthech chi nad oedd ffraeo wedi bod rhyngto Anghiarad a'i thêd. Fe ddwedes i mai o'm herwydd i roedd hi wedi giadel ciartre.'

'A be oedd y gwir reswm ta, Mrs Vuckan?' *Os nad ydi o'n bwysig i'r cês, os nad ydi o'n mynd i'n helpu ni roi Marco Mathews dan glo, yna dydi o fawr o bwys gen i be fu'r ffrae rhyngoch chi.*

'Falle bod â wnelo fi rwbeth â fo, cofiwch, dwi'm yn gwadu hynny ond coeliwch fi, Inspector, fe wnes i fy ngore glês i'w chial hi i fy nerbyn i, os nad fel mem yna o leie fel ffrind.'

'Do, dwi'n siŵr, Mrs Vuckan. Felly be ddigwyddodd rhwng Anne Harâd a'i thad?'

Fe oedodd hi dair neu bedair eiliad cyn ateb, fel pe bai'n ailystyried rhannu'i chyfrinach. 'Dech chi ddim yn gwybod, ydech chi? . . . Ro'n i'n rhyw feddwl falle bod Anghiarad wedi deud wrthoch chi cyn . . .'

'Mae'n bosib fy *mod* i'n gwbod, Mrs Vuckan, ond fedra i ddim deud nes clywed yn gynta be'n hollol sgynnoch *chi* i'w ddeud wrtha *i*.'

'O! Ie, siŵr.' Eto'r ansicrwydd, fel pe bai'n methu penderfynu mentro ai peidio. 'Wnewch chi addo peidio sôn wrth Tomos am y sgwrs fêch yma, Inspector?'

'Fedra i ddim gaddo, Mrs Vuckan. Ond mi ddweda i gymaint â hyn – Os nad oes a wnelo'ch cyfrinach chi yn uniongyrchol â llofruddiaeth Anne Harâd Vuckan, yna chlywith eich gŵr ddim gair am y peth oddi wrtha i. Rŵan, be sy'n pwyso ar eich meddwl chi?'

Cododd ei phen i edrych i fyw ei lygad, yna

77

edrychodd draw at y ffenest. 'Mi gafodd Anghiarad blentyn, Inspector, pen oedd hi ond newydd gial ei phymtheg oed.'

'O!' Cofiodd eiria'r doctor yn y sbyty, fis yn ôl. 'Fe wyddem ni hynny, Mrs Vuckan.'

Rhaid ei bod hi wedi synhwyro rhywfaint o ddifaterwch yn ei ymateb. 'Ro'n i'n ame'ch bod chi! Wel, falle bod pethe felly ddim yn eich synnu chi mewn tre fewr fel hon, Inspector, ond mewn ardal fêch wledig fel Brynciadfa 'cw, yn enwedig ugen mlynedd yn ôl, fe alle peth fel'ne fod yn destun siarad mewr, a chwilydd mwy.'

'Felly, mi adawodd Anne Harâd gartre er mwyn arbed ei hun, a'i thad, rhag gwarth?'

'Nêddo'n têd. Nid felly bu hi. Roedd y peth yn sioc fewr i Tomos pan glywodd o, wrth reswm. Wedi'r cyfan, peder ar ddeg oed oedd y lodes ar y pryd. Ne, Inspector, gwir achos y ffrae oedd bod Anghiarad yn gwrthod deud wrth Tomos pwy oedd têd y plentyn. A pho fwia'r oedd Tomos yn pwyso arni i ddeud, mwia'n byd roedd hithe'n styfnigo.'

'Ac fe redodd hi o garta, felly?' *Big deal!* 'Ylwch, Mrs Vuckan, fedra i ddim gweld bod a wnelo hyn ddim oll ag achos llofruddio Anne Harâd.' *Mewn gair, rwyt ti'n gwastraffu f'amsar i!*

'Na, dwi'n diall hynny, Inspector, ond ro'n i ofan eich bod chi'n gwybod fy mod i wedi cielu'r gwir orwthech chi, chi'n diall, ac y byddech chi'n holi Tomos ynghylch pethe.'

'A! Wela i! Dydach chi ddim am imi agor y graith i'ch gŵr?'

78

'Yn hollol, Inspector. Ddim ar ôl yr holl flynydde. Ma fo'n beio'i hun ddigon fel ag y ma hi ac yn methu cysgu'r nos.'

Cododd o du ôl i'w ddesg. 'Mrs Vuckan, mae'r gyfrinach yn ddiogel efo fi. Does gan y cyfnod yna ddim byd i'w neud â llofruddiaeth Anne Harâd a fydda i ddim yn codi'r busnas o gwbwl efo'ch gŵr. Ond mi fydd *raid* imi gael gair efo fo ynglŷn â phetha eraill. Dach chi *yn* dallt hynny?'

'Diolch, Inspector. Dech chi'n ŵr bonheddig. Gida llaw, fe glywes chi'n siared am bysgota efo Robet. Wel gobeitho y cewn ni'ch gweld chi'n fuen ar Lyn Llyged Hwch. Rhaid ichi alw yn Tanpistyll bryd hynny.'

*   *   *

'Dowch i mewn, Mr Vuckan.' Cododd yn ddi-wên i ysgwyd llaw efo'r ffermwr a gneud yr un peth wedyn efo'i frawd. Ar yr un pryd, cafodd gip o Dî Sî'n nodio'i ben yn y drws agored tu ôl iddyn nhw, i gadarnhau bod y brodyr wedi gweld ac wedi adnabod y corff. 'Mae'n wir ddrwg gen i am eich profedigaeth chi, Mr Vuckan. Cymrwch gadair.' Trodd at Robet. 'Mae Mrs Vuckan yn y stafell aros, dwi'n credu. Falla y carech chi fynd i gadw cwmni iddi tra bydda i'n cael sgwrs efo'ch brawd?'

'Nê, fe arhose i, Inspector, os ned dech chi meindio. Ma mrewd wedi cynhyrfu, yn naturiol, ac mi fydd yn gwerthfawrogi nghwmni fi dwi'n meddwl.'

'Iawn. Wna i mo'ch cadw chi fwy nag sydd raid. Jyst

gofyn ichi gadarnhau un neu ddau o betha, Mr Vuckan.'
Edrychodd yn dreiddgar rŵan i fyw y llygada coch, fel
y gwnâi bob amser wrth groesholi. Fe ddysgodd profiad
iddo mai'r lle cynta i chwilio am gelwydd neu
euogrwydd oedd yn y llygada; y fflach sydyn o
ddychryn neu o banig, yr ymdrech drwsgwl i gelu'r
gwir. Fe gâi weld yn fuan iawn os oedd gan hwn
rywbeth i'w guddio. Doedd ei wraig, yn reit siŵr, ddim
wedi datgelu'r cyfan.

'Roedd eich brawd yn deud, y dydd o'r blaen, na
ddaru'ch merch ddim cysylltu o gwbwl efo chi ar ôl
iddi adael cartre, ugain mlynedd yn ôl. Ydi hynny'n wir,
Mr Vuckan?'

'Y . . . y . . . ydi.' Trwy blycian ei ben yn ôl a blaen
yn ei rwystredigaeth fe'i gwnâi hi'n anodd i'r holwr
ddal ar ei lygad yn hir.

'Mae hynny'n golygu na ddaru hi ddim sgwennu
atoch chi chwaith?'

'Ny . . . ny . . . nêddo.'

'Oes gynnoch chi unrhyw syniad o gwbwl o sut neu
ymhle y mae hi wedi byw ers iddi hi ddod i'r ddinas
'ma gynta?'

Edrychodd y ffermwr i lawr ar ei ddwylo rŵan ac
ysgwyd ei ben.

'Ydi'r enw Marco yn canu cloch o gwbwl ichi?

'Nê. Ddim o gy . . . gy . . . gwbwl.'

Faint o fanylion ddyla fo'u rhoi i'r dyn? Doedd fawr
o bwynt mewn trio arbed gormod ar ei deimlada
oherwydd fe ddôi'r cyfan allan yn y cwêst, beth bynnag.

'Does dim ffordd garedig o ddeud be dwi am ei

ddeud rŵan, Mr Vuckan, oherwydd dach chi'n mynd i gael clywed rywbryd neu'i gilydd, beth bynnag.' Meddalodd rywfaint ar ei lais. 'Ers pryd, wyddom ni ddim, ond mae'n ymddangos bod eich merch wedi bod yn cadw cwmni . . . wel, cwmni go amheus a deud y lleia. Yn ôl y meddygon a'r patholegydd, mae hi wedi bod yn gaeth i heroin ers cryn amser ac mae hwnnw, fel y gwyddoch chi dwi'n siŵr, yn un o'r cyffuria mwya dinistriol sydd ar gael.'

'Sy . . . sut oedd hi'n medru'i by . . . by . . . brynu fo 'te, Inspector?'

'Fedra i ddim deud wrthoch chi i sicrwydd, Mr Vuckan, ond mae gynnon ni le i gredu'i bod hi wedi bod yn gweithio i un o'n hadar brith ni yn y ddinas 'ma . . .'

Eisteddent ill dau fel delwau, yn disgwyl iddo fanylu.

'. . . Fel putain, mae'n ddrwg gen i ddeud . . .'

Gwelodd boen sydyn yn creithio gwyneb y tad.

'. . . Ac mi fydd adroddiad y patholegydd yn dangos iddi gael mwy nag un erthyliad hefyd. Ar ben hynny, mi oedd hi'n diodde o'r feirws AIDS, sy'n golygu nad oedd ganddi ddim imiwnedd rhag gwahanol afiechydon.'

'Yna, ma hi newr yn wy . . . wy . . . well ei lly . . . lly . . . lle, yn dy . . . dydi, Inspe . . . pector?'

Ai chwerwedd ynte rhyddhad oedd yn y llais? Roedd y stytian yn waeth, beth bynnag.

'Pryd giewn ni'r corff i'w gladdu, Inspector?' Robet oedd yn gofyn.

'Ddim tan ar ôl y cwêst, syr. Dim ond y crwner all

roi'r hawl hwnnw ichi bellach.' Cododd o'i gadair, i arwyddo bod y cyfweliad ar ben ac i estyn ei law dros y ddesg. 'Unwaith eto, Mr Vuckan, mae'n wir ddrwg gen i am yr hyn sydd wedi digwydd. Mi fedra i feddwl nad oes dim byd gwaeth na cholli plentyn. Ac mae gorfod mynd trwy'r profiad am yr ail dro yn siŵr o fod yn arteithiol ichi.'

Wrth wylio'r ddau'n mynd am y drws, y naill wedi'i grymu gan alar a'r llall yn wargrwm wrth natur, melltithiodd yr Inspector ei waith, a hynny am yr eildro'r bore hwnnw. Ond nid galar, meddai wrtho'i hun, oedd wedi dod â'r eiliad o gynnwrf i lygad Tomos pan atgoffwyd ef am ei brofedigaeth arall . . . am y ddamwain i'w fab, yr holl flynyddoedd yn ôl. Felly be? Be, tybed, a barodd yr eiliad o syndod, a'r cip greddfol rhwng brawd a brawd? *Sgerbydau!* meddyliodd. *Maen nhw i'w cael ym mhob tŷ ac ymhob teulu.* Chwerwodd. *Does neb ŵyr hynny'n well na fi!*

Cyn mynd allan, trodd Robet yn y drws. 'Gobeitho y ciewn ni gwarfod den amgylchiade gwell, tro nese, Inspector.'

Go brin! Yn y cwest y bydd hynny!

Safodd ei frawd yntau, fel pe bai'n euog o ryw anghwrteisi mawr. 'Ie,' meddai'n freuddwydiol dros ysgwydd. 'Dewch chi ecw i by . . . by . . . bysgote unrhyw by . . . by . . . bryd liciwch chi, syr.'

Am reswm na allai mo'i egluro'n iawn, fe deimlodd y plismon don o euogrwydd yn llifo drosto, yn wyneb y fath gwrteisi.

Pennod 8

Er rhoi rhagor o bwysa ar Marco *Pimp* Mathews ac er
gneud ymholiada ymysg mynychwyr ei glwb nos a
chwsmeriaid tebygol y puteindy-hwnnw-o-le, eto i gyd,
ddeuddydd yn ddiweddarach, doedd yr heddlu'n ddim
nes at gael y maen i'r wal. Neb yn barod i ateb
cwestiyna – Marco ar gyngor ei gyfreithiwr, y
cwsmeriaid oherwydd cywilydd neu ofn. Ac am y
puteiniaid eu hunain, wel . . .! Rhaffwyr celwydda a
rhegfeydd oedd y rheini, yn enwedig o gael eu gwthio i
gornel! A pha werth eu tystiolaeth mewn llys, beth
bynnag?

Athroniaeth (os athroniaeth hefyd) syml iawn oedd
gan yr Inspector, un yr hoffai ei rhannu ag eraill o bryd
i'w gilydd, ac yn arbennig felly heddiw efo'i was bach:
'Hawdd iawn ydi deud bod dyfal donc yn torri carreg,
Dî Sî, ond y cwestiwn ydi hwn – Be 'di gwerth y garreg
honno? A sut mae diffinio dyfalbarhad os ydi'r garreg
yn gwrthod torri?'

'Dwi'm yn siŵr ydw i'n eich dilyn chi ai peidio, syr.'

'Isio iti gofio, ydw i, bod 'na 'garreg' *a* 'charreg'!
Mae tywodfaen yn *garreg*, Dî Sî . . . a *charreg* hefyd ydi
gwenithfaen, sy'n dipyn cletach. Ond o bryd i'w gilydd
fe ddoi di hefyd ar draws ambell garreg gallestr, a
honno fydd yn profi dy ddyfalbarhad di, coelia di fi.'

'O!' *Deud ti!* 'Pa fath o garrag ydi Marco ta, bòs?'

'Amser a ddengys, ynde? Amser a ddengys! Ydi

83

Marco'n garreg gallestr? Go brin. Ond, *mae* ei gyfreithiwr o! Hwnnw'n garreg galed ar y naw dwi'n tybio! Ond yr eironi, Dî Sî, ydi hwn, mai grym y Gyfraith sy'n rhoi'r caledwch yna iddo fo, am ei fod o'n gallu cuddio tu ôl iddi, ti'n dallt. Mae o'n hen law ar ddehongli'r Gyfraith i'w bwrpas ei hun, ac mae hynny'n ei neud o'n garreg galed ar y diawl i'w thorri.'

'Ond os na fedrwn ni'i thorri hi, fedrwn ni ddim rhoi pelan ynddi hi?'

'Pelen, Dî Sî?'

'Pelan o ddeinameit . . . a siarad yn ffigurol, wrth gwrs.'

'Hm! Dyna ffordd arall o feddwl am y broblem. Ond mae gen i ofn mai'r unig belen – a defnyddio dy air di – sy'n mynd i neud y tric yn yr achos yma ydi pelen DNA. Hyd yma, y cwbwl sgynnon ni i weithio arno fo ydi chydig o boer ar groen yr hogan 'na, a dau flewyn gwallt ar ei dillad hi. Ac er bod Fforensig yn ein sicrhau ni bod y poer a'r gwallt wedi dod oddi ar yr un person, fedrwn ni ddim deud hyd yma ai'r llofrudd oedd hwnnw ta pwy. Nid Marco beth bynnag, gwaetha'r modd. Felly, hyd nes y medrwn ni neud y cysylltiad hwnnw, neu nes y daw Fforensig â rhyw dystiolaeth bellach inni, mae gen i ofn mai dal ati i gnocio'r garreg efo morthwyl plastig fydd raid inni. Gyda llaw, Dî Sî, mae'r cwêst yn cael ei gynnal fory. Hanner awr wedi dau. Mi fydd disgwyl inni fod yno . . . Wel rŵan, y busnes *hit an' run* 'ma! Gobeithio bod gen ti ryw newydd da imi yn fan'na? Neu be am hwn'na dreisiodd yr hogan ysgol 'na

84

yn Bridge Street? . . . Na? Dim byd? Dim byd o gwbwl?
Ar ddim un o'r ddau? Diawl erioed, Dî Sî! . . .'

*   *   *

'*An úair a ghlaodhas a sean choileach, foghlumaidh an t-ó.*' Chwarddodd Paddy. Doedd dim rhaid iddo holi pam yr wyneb blin. 'Pan fo'r hen geiliog yn canu, mae'r ceiliog ifanc yn dysgu. Mae golwg fel taset ti'n diodde poen arnat ti.'

'Diodda o ddiawl! Ma diodda'r pen bach yna'n ddigon ynddo'i hun, heb i ti ddechra tynnu nghoes i wedyn. Sgen ti amsar am banad yn cantîn? Imi gael sgwrs gall efo rhywun, wir dduw!'

A thros y chwarter awr nesa fe gafodd Dî Sî fwrw'i fol i'r Gwyddel. 'Y drwg ydi, ti'n gweld,' gorffennodd, 'nad oes gen i syniad lle dwi'n sefyll efo'r diawl. "*Dî Sî*" ydw i bob gafal gynno fo . . . "*Dî Sî hyn*" a "*Dî Sî arall*", o fora gwyn tan nos a Dî Sî fydda i am byth hefyd os na cha i fy symud i weithio efo rhyw Dî Ài arall. Dwi'n ddim uwch na baw sowdwl yng ngolwg hwn, beth bynnag, ac fel ma petha'n edrych ar hyn o bryd, does gen i ddim gobaith gwybedyn o ennill dyrchafiad byth.'

'A! Gwylier y gŵr uchelgeisiol!'

'Paid â rwdlan, wir dduw! Dwyt titha chwaith ddim isio aros yn gwnstabl bach cyffredin weddill dy oes, yn cymryd dy ordro gan hwn a'r llall.'

'Pam na ofynni di am shifft ta?'

'I steshon arall ti'n feddwl? Na, dwi'm isio hynny,

85

Paddy. Dwi'n ddigon hapus yn fa'ma, fel arall. A phe *bawn* i'n gneud cais, sut fyddai hi arna i wedyn, meddat ti, unwaith y câi *o* wbod nad ydw i isio gweithio efo fo?'

'Mair, fam yr Iesu! Ffin dene iawn sydd rhwng cas a chariad, medden nhw. Wyt ti wedi gofyn iddo *fo* sut mae *o*'n teimlo?'

'Callia, wir dduw! Does dim posib cael sens ohonot ti byth.'

Chwarddodd y Gwyddel. 'Nid ti ydi'r unig un efo problemau, nace? Cofia di hynny!'

'Be wyt ti'n feddwl?'

'Ha! Ac rwyt ti'n rhoi dy hun yn dditectif! . . . Deud i mi, wyt ti ddim wedi sylwi ar wyneb d'Inspector bob bore? Ac ar ei wyneb wedyn cyn iddo fynd adre'n yr hwyr?'

'Ei wynab o? Arclwydd mawr! Gweld gormod ar hwnnw ydw i'n barod!' Cododd o'i gadair.

'Wel efallai y *dylet* ti gymryd mwy o sylw. A phwy sydd i ddweud na fyddwch chi'ch dau yn dod i ddeall eich gilydd yn well, wedyn.'

Pennod 9

'Paddy! Ddallta i mo'no fo byth! Welist ti'i wynab o pan gyrhaeddodd o, bora 'ma? Yn cuchio fel y gŵr drwg ei hun wrth ddod trwy'r drws 'cw, a gneud dim ond chwyrnu cyfarchiad ar rywun. Ond rŵan, hannar awr yn ddiweddarach, mae o'n gleniach o beth cythral. 'Da i ddim mor bell â deud ei fod o'n gwenu, ond mae o'n gwgu llai. Dwi'n deud wrthat ti, ddallta i byth mo'r diawl!'

'Fel yr awgrymes i bnawn ddoe, falla bod y ditectif drama yn rhy agos i weld!' A chwarddodd y Gwyddel nes tynnu sylw eraill o'i gwmpas.

'Fi ti'n feddwl? . . . Gweld be, 'lly?'

'Gweld y rheswm dros ei dymer ddrwg. Be wnei di, Ditectif, o'r cleisiau duon o dan ei lygadau? Ydi o'n cysgu'r nos, meddet ti? Na, mae gen i ofn nad ydi pethau ddim yn rhy dda gartre i'n Hinspector ni. A dyna pam y dymer ddrwg ben bore a'r wep hir pan ddaw'n amser iddo droi tua thre ddiwedd dydd.'

'Twt! Geshio wyt ti rŵan! Os wyt ti mor graff â hynny, sut wyt ti'n egluro'r newid tymar mor sydyn ar ôl cyrraedd, bora 'ma?'

'*Elementary, my dear D.C.! Elementary!* Y *Securicor Express delivery* oedd yn aros amdano fo yn ei swyddfa pan gyrhaeddodd o bore 'ma! Fe ddywedwn i fod Macnabs wedi cael tegan newydd i chwara efo fo.'

Pan wnaeth Dî Sî esgus i gerdded i mewn i swyddfa'r

Inspector chydig funuda'n ddiweddarach, efo dim ond curiad ysgafn cyn agor y drws, fe'i cafodd ef yn chwifio'n dringar, o fewn y stafell gyfyng, ei Orvis Clearwater newydd sbon. Roedd wyneb ei ddesg o'r golwg dan bentwr llac o focsus gwag a phapur-lapio llwyd.

'O! Polyn newydd, syr?'

'Paid â dangos d'anwybodaeth, Dî Sî! Genwair ydi hon. Genwair bluen.'

'O! Fe ddaw hi'n handi iawn ichi ar Clincluggah Hooke, syr, pan gewch gyfla i fynd yno eto.' A chaeodd y drws yn gyflym o'i ôl, cyn i'w chwerthin ffrwydro.

'Paddy! Fe ddylet ti fod yn dditectif, was!'

*   *   *

Er gwaetha'r adeg o'r flwyddyn, doedd hi ddim yn hafaidd, na gwanwynol hyd yn oed, wrth iddyn nhw groesi o'r maes parcio i gyfeiriad yr adeiladau dinesig lle cynhelid y llysoedd barn a llys y crwner. Roedd yr Inspector wedi botymu'i anorac hyd at ei ên, tra ymdrechai ei gydymaith iau i ddangos bod siaced denau yn addas ddigon i'r tywydd oedd ohoni. Uwch eu pennau, wrth iddyn nhw rŵan bigo'u ffordd dros rimyn cul o lawnt a than gysgod coed, roedd masarnen i'w chlywed, trwy lid y corwynt, yn protestio'n gwynfannus, a lled-ofnai'r ddau y glec o rybudd bod un o'r canghennau praff yn torri'n rhydd. Tu allan i'r ardd fechan hon o wyrddni, doedd dim i'w weld ond rhuthr ceir a phobol, mewn byd o goncrid llwyd.

'A! Chi wedi cyrredd!' Safai'r blismones yng nghysgod y cyntedd eang, yn edrych ar ei wats. Roedd yn ugain munud wedi dau. 'Ma'r teulu weti cyrraedd ers hanner awr.'

'Faint ohonyn nhw sydd wedi dod?'

'Pob un wi'n cretu, syr. Ma mister a misis Fychan yma a Robet a hefyd Gwilym. Ma nw'n ishte tu fiwn.'

'Inspector!'

Trodd y tri i wynebu'r cyfarchiad agos.

'Fedra i gial giair sydyn efo chi?' Er yn wargrwm, roedd Yncl Robet yn edrych i lawr ar y tri ohonyn nhw.

'Iawn, Mr Vuckan! Be ga i'i neud ichi?'

'Cyfrinachol!' ychwanegodd, ac aros nes gwylio'r ddau arall allan o glyw. 'Dwi wedi bod yn aros ichi gyrredd. Ma mrewd a'r teulu'n meddwl ma' yn y tŷ bêch dw i.'

'O? Pam y cyfrinachedd, felly?'

'Ro'n i isie egluro un peth ichi ynglŷn ag Alun. Roeddech chi'n holi'n 'i gylch y dydd o'r blên ac ma gien i ofn ichi ddechre gneud hynny eto heddiw, ac ypsetio Tomos mwy nag sy raid.'

'O? A be dach chi'n awyddus i'w egluro felly, Mr Vuckan?'

'Dim ond hyn, Inspector! Pan ddethoch chi i Tanpistyll wthnos dwethe, fe ddwedes i bod Alun wedi boddi ym mhwll y ceinant. Dech chi'n cofio?'

'Ydw. Be? Oeddech chi ddim yn deud y gwir wrtha i?'

'O'n, ro'n i *yn* deud y gwir, Inspector, ond ddim y gwir i gyd. Ma'n well ichi gial gwybod newr nad damwen oedd hi, ond ma boddi'i hun nêth Alun.'

'Boddi ei hun? O! Deudwch chi! Ac oes gan hyn rwbath i'w neud efo pam yr aeth ei chwaer i ffwrdd?'

Eiliad yn unig yr oedodd y ffarmwr cyn ateb. 'Neg oes. Dim o gwbwl . . .'

Yn ôl ei arfer, syllai'r ditectif i fyw llygad y ffarmwr, a synhwyrai anwiredd.

'. . . Roedd Anghiarad wedi giadel beder blyne cyn hynny. Dwi'n deud hyn wrthech chi oherwydd dwi dest ddim isie i mrewd gial mwy o ddolur neg sy raid, heddiw o bob diwrnod.'

'Hynny ydi, dydach chi ddim am i mi'i holi fo.'

'Ddim ynghylch Alun beth bynneg, os nad dech chi'n meindio.'

'Iawn. Fe gadwa i'ch cais mewn co. Deudwch i mi, Mr Vuckan! Sut eneth oedd Anne Harâd pan oedd hi'n fach?'

Cafodd edrychiad rhyfedd yn ôl gan y ffarmwr, fel pe bai hwnnw, am eiliad, yn drwgdybio'r cwestiwn a'r rheswm tros ei ofyn. 'Clên iawn, Inspector, ac yn llawn anwes pen oedd hi'n fêch. Roedd hi'n gymeried . . .' Tynhaodd ei wefusau i awgrymu gwên atgofus. '. . . Gwallt gole, a'i gwyneb hi'n fryche haul i gyd ac rodd hi o hyd yn chwerthin ne'n cianu. Mi fydde hi'n trajo rownd y cowt ar ôl y gieir, yn gweiddi *Jico jico jico* ar eu holen nhw, a nhwthe'n sgrialu o'i blên hi nes bod 'u plu nhw dros y lle i gyd.' Llaciodd y gwefusa eto. 'Ond ar ôl colli'i mem fe êth yr hwyl ohoni. Fe êth hi'n fewnblyg iawn. Chydig fydde hi'n ddeud wrth neb wedyn, ond wrth Alun ei brewd, wrth gwrs. Roedd hi'n *dipyn* o ffrindie efo fo . . .'

90

Synhwyrodd y plismon ryw arwyddocâd bwriadol i'r ffordd y cododd y dewyrth ei aeliau, ond methodd ddirnad beth allai hwnnw fod. Bach oedd ei ddiddordeb sut bynnag. 'O! Dyna ni ta, Mr Vuckan! Diolch ichi am y wybodaeth.' Yna, fel pe bai'r syniad newydd groesi'i feddwl, 'O! Gyda llaw! Wyddoch chi'r adfail gerllaw Clincluggah Hooke? Pwy 'di'r perchennog, deudwch?'

'Yr hen Hafoty dechi'n feddwl? Wel perthyn i Tanpistyll 'cw ma fo. Pam dechi'n gofyn?'

'O! Diddorol! Ond nid dyma'r amser na'r lle i drafod, mae'n debyg. Siawns y cawn ni well cyfla am sgwrs rywbryd eto.'

Wrth gerdded i ffwrdd, crychai Yncl Robet ei dalcen mewn penbleth.

   *   *   *

Erbyn i'r heddlu a'r patholegydd roi eu tystiolaeth ac erbyn i aelodau'r teulu orffen ateb cwestiynau'r crwner, ac i hwnnw roi ei ddyfarniad, roedd hi'n tynnu am bump o'r gloch, ac roedd straen y diwrnod yn amlwg iawn ar wyneb Tomos Fychan a'i wraig.

'Be fydd yn digwydd nawr 'te, Inspector? Gewn ni symud mlên i drefnu cligeth Anghiarad?'

Roedd hi wedi dod i chwilio amdano yn y cyntedd eang.

'Does dim i'ch rhwystro chi bellach, Mrs Vuckan. Trefnwch chi'r gladdedigaeth at bryd bynnag liciwch chi rŵan. Fe gewch dystysgrif gan y crwner cyn ichi adael heddiw fydd yn rhyddhau'r corff i'ch gofal ac fe gewch drefnu wedyn i rywun ddod i'w nôl o'r mortiwari.'

'Wel diolch byth am hynny. Ma'r strên wedi dechre deud ar Tomos.'

'A gyda lwc, mi fyddwn ninna'n dwyn y llofrudd i gyfri yn y dyfodol agos.' Er yn fwriadol osgoi ei llygaid, ofnai ei bod hi'n clywed y diffyg argyhoeddiad yn ei lais. 'Gadwch imi wybod pryd y bydd yr angladd, wnewch chi?'

'Fe wnewn ni.'

Wrth iddo edrych arni, gwelodd fôr o dristwch yn dod i'w llygaid a dagra'n hel ac yna'n torri dros ei hamranna.

'Dach chi'n iawn, Mrs Vuckan?'

Gwenodd wên drist, ac oedi cyn ateb. 'Iogrwydd, am wn i, Inspector . . .'

Fel pob plismon gwerth ei halen, rhoddodd amser iddi egluro.

'. . . Wedi marw Meirwen, mem Anghiarad, y dês i i'w nabod nw fel teulu, chi'n diall. Roedd Anghiarad yn ddeg oed erbyn hynny, ac yn torri'i chialon, fel y bysech chi ddisgwyl. Alun hefyd wrth gwrs. Iddyn nhw, roedd y byd ar ben yn doedd?'

Gwelodd hi'n pletio'i gwefusa, fel arwydd o'i chydymdeimlad efo'r hyn oedd wedi digwydd chwarter canrif ynghynt.

'Ond pam bod raid i *chi* deimlo'n euog, Mrs Vuckan?'

Edrychodd draw, yn freuddwydiol. 'Fe briodes i Tomos, yndo! Fe briodes eu têd nw.'

'Ac roedden nhw'n gwrthwynebu'r briodas.'

'Oedden, debyg. Fe wnes i fy ngore drostyn nw, Inspector, ond fedrwn i ddim cymryd lle'u mem nw. Ond fe ddethon nhw'n well, gidag amser, cofiwch. Roedden nhw'n gysur i'w gilydd, chi'n diall . . .'

'Wi jest isie gweud gwdbei, Mrs Fychan, cyn gorffod mynd 'nôl i witho.' Roedd y blismones fach, ar ôl ffarwelio â gweddill y teulu, wedi croesi'r cyntedd atynt. Daliai ei llaw allan yn awr, i gael ei hysgwyd. 'Ma'n flin ofnadw 'da fi ein bod ni wedi gorffod cwrdda o dan shwt amgylchiade trist ond ma' rhyw dda'n dod o bopeth, smo chi'n cretu? Oherwydd wi'n falch ofnadw o fod wedi cwrdda â chi fel teulu. Jest dweud wrth Mr Fychan o'n i nawr, mor debyg yw Gwilym iddo fe a'i frawd. Ma fe'r un sbit â'r teulu ondiwe?'

A chyda hynny, roedd hi wedi mynd, gan adael Megan Fychan i syllu'n ansicr ar ei hôl. O'i ran ei hun, fe deimlai'r Inspector bod cyfrinacha eto heb eu deud, cyfrinacha na chaent, o bosib, *fyth* mo'u deud.

*   *   *

'Mi eith hi'n hwyr iawn arnyn nhw'n cyrraedd adra'n ôl heno.'

'Hm!' Doedd o ddim yn gwrando. Yn lle hynny roedd o'n edrych o'i gwmpas yn ffrwcslyd, fel petai o wedi colli golwg ar rywun. 'Welist ti hi'n mynd, Dî Sî?'

'Pwy, syr? Dybliw Pî Sî Morgan?'

'Y ferch 'na oedd yn eistedd ar ei phen ei hun, reit yng nghefn y llys.'

'O! Honno? Rhywun o'r wasg feddylis i oedd hi. Fe'i gwelis i hi'n codi nodiada.'

Ond ysgwyd ei ben yn ddiamynedd a wnâi'r Inspector. 'Callia, wir dduw! Doedd hon'na ddim mwy o ohebydd papur newydd nag oedd dy nain! Roedd hi'n debycach i . . .!' Stanshiodd, fel pe bai syniad wedi'i gynhyrfu. 'Os gwn i . . .?'

Ond chafodd Dî Sî ddim gwybod, serch hynny, be oedd wedi taro meddwl ei fôs.

Pennod 10

'Gyda llaw! Fydda i ddim i mewn fory, Dî Sî.' Aethai tridia heibio ac roedd hi rŵan yn ddiwedd pnawn.

'O?' *Y newydd gora eto!* 'Dim byd yn bod, gobeithio, syr?'

'Bod, Dî Sî? Be wyt ti'n feddwl?'

'Efo'r teulu. Neb yn sâl, gobeithio?'

Culhaodd y llygaid. 'Wst ti be? Mae gen ti lawer iawn i'w ddysgu eto am y grefft o holi pobol. Er enghraifft, mi fedra i ddeud yn syth rŵan mai holi er mwyn busnesu wyt ti ac nid oherwydd unrhyw gonsýrn amdana i na nheulu.'

'Syr! Dydi hyn'na ddim yn . . .'

'Angladd y Gymraes, Dî Sî! Yn fan'no y bydda i fory.'

'O? Eich hun dach chi'n mynd?' *Wyt ti ddim isio i mi dy ddreifio di yno, felly?*

'Dyna ti eto! . . . Fy hun, ia. Mae'r Vuckans yn fy nisgwyl i. Mae'n beth priodol bod rhywun yn mynd – wyt ti'm yn meddwl? – i gynrychioli'r ffôrs.'

'Wrth gwrs!' *A pha reswm arall sy gen ti, tybad? Dwyt ti ddim yn un i dorri cnau gweigion.*

'Tra bydda i o'ma, dwi am i ti edrych i mewn i'r alwad ffôn anhysbys gawson ni neithiwr, oedd yn honni bod Treisiwr Hightown yn gweithio yn Adams Electronics. Mi fydd raid dechra holi'r gweithlu . . . o'r top i lawr.'

'BE? AR FY MHEN FY HUN . . . syr?' *Uffar dân!*

'*Legwork,* Dî Sî! *Legwork* hen ffasiwn! Dim byd tebyg iddo fo, sti.' Bron nad oedd y gwyneb ffidil yn cracio'n wên. 'Sut bynnag, efo'r holl waith sgynnon ni ar ein plât fedra i ddim fforddio rhyddhau neb arall i dy helpu di. Fe gei di adrodd yn ôl imi pan ddo i i mewn ddydd Gwener.'

*   *   *

Trwy gychwyn mor gynnar, fe fedrodd osgoi llawer o'r traffig trwm. 'Ceffyl da ydi wyllys,' meddai wrtho'i hun wrth wylio'r M54 yn diflannu o'i ôl yn y drych, a dechreuodd fwmian pwt ansoniarus o gân. 'Deng munud i wyth! Gyda lwc, fe ga i deirawr o leia o bysgota cyn yr angladd.' Roedd ei siwt a'i grys gwyn a'i dei du yn hongian yn barchus yng ngefn y car. 'Siawns na cha i swper a hanner heno,' meddyliodd yn dalog, wrth ddychmygu brithyll ar ôl brithyll yn llithro'n lliwgar i'w fag Snowbee newydd sbon, 'ar ôl imi wagio'r llyn 'na! Ac mi fydd y brechdana caws a'r coffi fflasg yn wledd o ginio imi yn yr haul. Hwn ydi'r bywyd!' A rhannodd ragor o'i nodau amhersain efo sŵn y teiars ar y ffordd.

Erbyn iddo gyrraedd y Trallwng, doedd hi ddim cyn brafied; y cymyla gwynion wedi ildio'u lle i rai duach, trymach, ac roedd chwythiad llai cyfeillgar gan y gwynt. Yn Llanfair Caereinion daeth i ffordd wlyb, ac un wlypach fyth wrth nesáu am Fryncadfa. 'Damia unwaith!' Nid dyma sut oedd petha i fod! Haul ar fryn ac awel ysgafn yn yr hesg – bore felly oedd o wedi'i fargeinio amdano – ond o'i flaen rŵan roedd Dyffryn Banwy a bryniau'r gorllewin yn cael eu llyncu'n gyflym gan gaddug cawod drom arall wrth iddi weithio'i ffordd o hyd yn nes. Doedd dim cysur chwaith yn nrws caeedig y Black Lion fel yr âi heibio i hwnnw. *'Troi i'r whith!'* Cofiodd eiria Dybliw Pî Sî Morgan, ac ufuddhau.

Byd tra gwahanol oedd hi ar y defaid a'r ŵyn hefyd, meddyliodd, wrth eu gwylio'n pori yn y glaw. Doedd eu gwlân ddim cyn wynned na'r borfa o'u cwmpas cyn wyrdded, a düwch drain y gwrychoedd yn hytrach na blodau'r rheini oedd yn tynnu'r sylw mwya rŵan. A phan ddaeth i'w olwg, croeso oer oedd gan Clincluggah Hooke i'w gynnig hefyd.

Am awr a mwy bu'n eistedd yn ei gar, yn syllu'n ddiflas dros y dŵr, a'r glaw yn gneud ei ora i ddallu'i fyd. Byd annymunol cyfan iddo fo'i hun! Ac oria segur i'w llenwi. Meddyliodd ffonio'r steshon, i neud yn siŵr bod trwyn Dî Sî ar y maen, ond mewn cwpan fel hyn o fryniau, roedd y ffôn poced yn ddiwerth. Diawliodd. Yfodd ei goffi, bwytaodd ei frechdana caws. Pum munud i ddeg! Dim ond unwaith neu ddwy y caniataodd i'w lygaid oedi'n anniddig ar furddun llwyd Hafoty, y tu draw i'r lôn. Yn yr eiliada hynny, ni allai yn ei fyw â gweld y lle fel y bu'n breuddwydio amdano'n ddiweddar. Ai breuddwyd gwrach fu'r cwbwl? Prynu'r lle yn rhad a'i droi yn encil iddo'i hun? Fel rhamant gwirion yr edrychai'r peth iddo rŵan, beth bynnag, trwy syrffed y gwlybaniaeth diddiwedd.

Ymhen yr hanner awr nesa, fe giliodd y glaw a llawer o'r cymyla duon, yn ogystal â rhywfaint o'i ddiflastod ynta. Ond nid y gwynt! Siawns na châi ryw awr a hanner wedi'r cyfan, meddyliodd. Dwyawr, hyd yn oed, os oedd yn lwcus! Prysurodd i roi ei gêr efo'i gilydd a rhegi llawer am nad oedd wedi holi sut i glymu blaenllinyn i lein, na phluen chwaith wrth flaenllinyn. A pha bluen, beth bynnag? Hyd y gallai gofio, doedd 'run o'r dwsin yn ei focs yn debyg i Brickuh Grow y dydd o'r blaen, ond mi oedd yr un goch a melyn ac arian yn edrych yn dda, felly fe wnâi honno'r tro yn iawn. Pa bysgodyn fedrai'i gwrthod hi? Ac fe gâi cwlwm-cwlwn neud y tro i'w chlymu hefyd!

Nid gwaith hawdd chwaith fu camu i mewn i'r wêdars, er iddo ymarfer fwy nag unwaith ym mhreifatrwydd ei garej, gartre. Ond fe ddaeth i ben â hi, o'r diwedd, a dyma fo rŵan yn camu'n gawraidd am y dŵr, fel dyn wedi gneud llond ei drowsus, a'r enwair – yr Orvis Clearwater – fel pluen yn ei law a'r cyffro ifanc yn ôl yn ei waed.

Fesul cam petrus 'rôl cam, mentrodd yn ddyfnach nes teimlo gwyneb y llyn yn gwasgu'n ysgafn am ei ddau ben-glin. A rŵan yr awr fawr! Llacio lein o'r rîl, fel y gwelsai'n digwydd yn yr union fan hon, beth amser yn ôl; chwip i flaen yr enwair i dynhau'r slàc dros ysgwydd; yna chwip arall ymlaen, i yrru'r lein felen, a'r bluen i'w chanlyn, allan yn osgeiddig i'r dŵr. Neu dyna'r bwriad, o leia! Ond yn hytrach na chanfod y bluen yn nofio'n hy lathenni o'i flaen, fe'i teimlodd hi'n tynnu wrth ei gefn, lle'r oedd hi wedi bachu'n styfnig

yng nghynffon ei gôt, mewn lle na allai ei gyrraedd heb
yn gynta'r strach o gamu'n ôl o'r dŵr i ddadwisgo'r
dilledyn i'w chael hi'n rhydd. Bach fu'r llwyddiant yr
eildro hefyd, efo'r lein a'r blaenllinyn a'r bluen yn
syrthio rŵan yn gowdal blêr yn y dŵr wrth ei draed.
Beiodd y gwynt cryf ond chydig iawn o gysur oedd yn
yr esgus. Yna bachodd y bluen mewn twnsh o frwyn
rywle'n y tir o'i ôl, a rhoddodd ynta blwc galed, yn ei
dymer, i'w rhyddhau. Gwellodd petha rywfaint wedi
hynny a chyn hir cafodd foddhad o wylio'r lein yn
nofio'n felyn ac yn falch ar ddüwch y dŵr. Ond er aros
ac aros, ni ddaeth cynnig o unlle ac er craffu a chraffu
ni allai weld yr abwyd lliwgar chwaith. Yna, ar y tafliad
nesa, aeth petha'n ffradach unwaith eto; y lein a'r
blaenllinyn rŵan yn glyma i gyd. A dyna pryd y
sylweddolodd fod y bluen ar goll, naill ai wedi ei
chwipio i ffwrdd neu wedi'i gadael rywle yn y twnshyn
brwyn o'i ôl.

Am hanner awr a mwy eto bu'n dyfalbarhau nes
colli, o'r diwedd, gymaint ag wyth o'i ddwsin plu, a
hynny heb symud yr un pysgodyn yn y dŵr. A phan
ddaeth y pumed cwlwm dyrys yn fuan wedyn, aeth
petha'n drech nag ef, a gyrrwyd gŵr blin a thrwm ei
siom i sblashio'i ffordd yn ôl i dir sych ac at ei gar. A
rywsut-rywsut y cafodd gwerth chwe chanpunt a mwy o
gêr eu taflu i mewn i'r bŵt.

Gyrrodd oddi yno a'r murddun yn angof.

*   *   *

99

'Den ni'n ddiolchgar iawn ichi am ddod, Inspector. Fe ddaliodd y tywydd yn rhyfeddol, dech chi'm yn meddwl?'

Roedd y dorf o alarwyr yn prysur wasgaru, rhai at eu ceir, eraill i gerdded y ffordd gul yn ôl i'r pentre.

'Wel do, Mr Vuckan, yn rhyfeddol iawn! Ond dyw'r glaw ddim ymhell, mae gen i ofn.' Nodiodd tuag at awyr ddu'r gorllewin.

'Ne, dech chi'n iawn, dwi'n siŵr. Fe ddewch chi i'r Leion am baned a rhywbeth i'w fyta? Ma llunieth wedi'i drefnu yno i rai sydd wedi dod o bell.'

'Wel diolch ichi. Wna i ddim gwrthod.'

Penderfynodd adael ei gar ym maes parcio bychan y fynwent a cherdded y tri chanllath neu lai o'r eglwys i dafarn y Black Lion yng nghwmni Robet Fychan.

'Fe gafodd angladd mawr.' Roedd wedi synnu gweld yr eglwys mor llawn a phob un yno mewn du mor barchus.

'Fel'ne ma hi mewn cligeth ffordd hyn, Inspector. Cymdogeth glòs a phobol isio rhannu gofid 'i gilydd. Nid fel'ne ma hi lle dech chi'n byw, decenî?'

Synhwyrodd y plismon feirniadaeth yn y cwestiwn ac am reswm na allai mo'i egluro, teimlod fel achub cam ei gymdogion ei hun. Ond pa gymdogion? Pe bawn i farw fory nesa, meddyliodd, faint ohonyn nhw ddeuai cyn belled â'r amlosgfa i dalu'r deyrnged ola imi? Uffar o neb! Ddim hyd yn oed y bobol-drws-nesa, beth bynnag ydi enwau'r rheini!

'Nid mewn bedd newydd y rhoddwyd ei chorff hi, Mr Vuckan.' Gosodiad yn fwy na chwestiwn, oherwydd roedd wedi sylwi mai yng nghanol hen feddau yr oedd *'twll du'* Angharad wedi ei agor.

'Nâicie.'

Gan fod peth cyndynrwydd i'w glywed yn y llais, aeth Inspector ar ei ôl. 'Bedd Alun?'

'Sut gwyddech chi?' Ond doedd fawr o syndod yn yr ymateb, serch hynny.

'Geshio, dyna i gyd! Maddeuwch i mi am ofyn . . .' – Os am y gwir, meddai wrtho'i hun, yna rŵan amdani, a thaflu'r dyn oddi ar ei echel i neud hynny, os oes raid – '. . . ond ai mab Angharad ydi Gwilym?'

Synhwyrodd gyhyra'i gydymaith yn tynhau a hanner disgwyliai ei glywed yn deud wrtho am feindio'i fusnes, nad oedd a wnelo Gwilym ddim oll ag achos llofruddiaeth Angharad. Ond yna, o gil ei lygad, gwelodd y pen yn gostwng y mymryn lleia a'r cefn yn crymu chydig mwy, a phan ddaeth yr ateb roedd rhywfaint o sŵn rhyddhad yn y llais.

'Roeddech chi'n gwbod, felly? Ai Megan ollyngodd y giath o'r cwd?'

'Nage, ddim yn hollol.' *Ddim o gwbwl* ddylai ei ddeud ond hwyrach bod mantais mewn creu ansicrwydd ym meddwl y dewyrth.

Roedden nhw'n nesu at adwy yn y shetin ar y dde ac anelodd Yncl Robet amdani rŵan, i bwyso ar y giât ac i edrych allan ar y cae oedd yn gwahanu'r eglwys oddi wrth y ffordd fawr. Tu ôl iddynt, cydgerddai tri o alarwyr eraill ar eu ffordd o'r fynwent ac arhosodd y ffarmwr iddyn nhw fynd heibio ac i sŵn eu traed a'u sgwrsio bellhau. Yn yr oedi, daeth cwian sguthan o gyfeiriad y

101

goeden ywen wrth borth yr eglwys a chân hapusach mwyalchen o lwyn heb fod cyn belled i ffwrdd. Brefodd dafad a chlywyd ci yn cyfarth ar fferm gyfagos. Roedd yr awel yn gynnes ac yn llawn gwlybaniaeth aroglus bloda gwyllt a gwair. Braf, meddai'r plismon wrtho'i hun, yn mwynhau'r eiliad; 'nefodd ar y ddîar' yng ngeiria Dybliw Pî Sî Morgan, a doedd hi ddim ymhell o'i lle.

Ond byr fu'r parhad. O'r ffordd fawr cododd sgrech fyddarol wrth i feic modur, ac un arall ac arall i'w ganlyn – pymtheg i gyd mewn cystadleuaeth o sŵn – felltennu heibio a chreu dychryn i bawb. Ac fel petai hynny ddim yn ddigon, fel y toddai rhuthr y rheini'n un grŵn hir yn y pellter, daeth dychryn gwaeth. Yn daran ddirybudd saethodd awyren ryfel drosodd, fawr uwch na thŵr yr eglwys neu frig ywen dalaf y fynwent, a chymar iddi'n dynn ar ei chwt, nes gadael awyr gyfan yn gryndod ac yn derfysg i gyd.

'Nid ein syne ni, Inspector,' eglurodd y ffermwr yn chwerw wrth i'r sŵn farw'n gyndyn yn yr entrychion. Ar yr un gwynt gofynnodd, 'Oes gennoch chi synied pam y lladdodd Alun 'i hun, bron i bymtheg mlyne'n ôl?'

'Nagoes, Mr Vuckan.' A doedd ganddo ddim.

Roedd yr eiliada nesa'n drwm o dawelwch a bron na ellid clywed Yncl Robet yn pwyso a mesur ei eiria cyn eu deud. 'Os dywede i wrthech chi, dech chi'n addo, ar lw eich bywyd, na ddwedwch chi air wrth neb ?'

'Dwi'n addo, cyn belled â . . .'

'Ciyn belled â dim, Inspector!' Doedd dim amau'i bendantrwydd. 'Does a wnelo'r wybodeth ddim oll â marwoleth Anghiarad, dwi'n eich siwianti chi o hynny,

102

ond ma be sy gien i i'w ddeud yn egluro pem y giadawodd hi giartre yn y lle ciynta. Ond, os nad dech chi'n barod i roi'ch giair imi, yna chewch chi wybod dim mwy gien i, oherwydd nid fi sydd am agor rhagor o greithie i mrewd.'

'Digon teg, Mr Vuckan. Os felly, yna dwi'n rhoi fy ngair. Does gen inna ddim dymuniad creu mwy o boen i'ch brawd, coeliwch fi.'

Eto'r eiliada o dawelwch, y tro yma i benderfynu ymhle i ddechra egluro.

'Rydech chi wedi bod yn Tanpistyll, Inspector, felly fe wyddoch chi mor anghysbell ydi'r fferm. Yr unig dro y bydde Alun neu Anghiarad yn giadel y Cwm fydde i fynd i'r ysgol bob dydd, ac i'r eglwys weithie ar y Sul. Felly, fel y giellwch chi'i giasglu, chydig o ffrindie oedd giennyn nhw pan oedden nhw'n fêch. Cwmni'i gilydd oedd giennyn nhw.' Oedodd, fel pe bai'n ansicr sut i fynd ymlaen. 'Be dwi'n gieisio'i ddeud, Inspector, ydi na chiafodd Anghiarad, wrth iddi dyfu'n lodes ifanc, gyfle i gial ciariad iawn . . . mwy nag y ciafodd Alun ei brawd . . .'

Teimlodd y plismon law oer yn cyffwrdd ei galon.

'. . . Chi'n gweld, ers marw Meirwen, ei wraig gynte, roedd Tomos yn gyndyn iawn o roi dim ffrwyn i'w blant.'

'Be dach chi'n drio'i ddeud wrtha i felly, Mr Vuckan? Mai . . .?'

'Ie, Inspector! Mai Alun oedd têd plentyn ei whaer. Mêb Anghiarad ac Alun ydi Gwilym. Ond dydi Gwilym ddim yn gwybod hynny, cofiwch.'

Cymerodd y plismon ei wynt ato'n swnllyd. Dyma

un newydd nad oedd o wedi'i ddisgwyl, yn reit siŵr. 'Ond pam dach chi'n deud hyn wrtha i rŵan, Mr Vuckan?' *Pam dach chi'n deud wrtha i o gwbwl?*

'Am mod i ofan eich ymholiade chi, Inspector. Am mod i ofan yr hyn ma Megan wedi bod yn 'i ddeud wrthoch chi'n barod.'

'Ofn?'

'Ie. Ofan be alle'r datgielu cyhoeddus ei neud i Tomos. Rhaid ichi ddiall, Inspector, bod fy mrewd wedi ciario'i iogrwydd am ugen mlyne a mwy.'

'Ei euogrwydd? Dydw i ddim yn dallt, mae'n ddrwg gen i. Pa reswm oedd gan eich brawd dros deimlo'n euog?'

'Falle na fedrwch chi ddiall. Falle na ddiellwch chi byth, a chithe'n gyment estron, ac o giefndir mor wahanol.'

'Triwch fi!'

'Falle bod ardal Brynciadfa 'ma yn ardal wasgiarog, Inspector, ond ma hi hefyd yn ardal glên iawn, lle ma pewb yn nabod 'i gilydd. Ugen mlyne'n ôl, roedd cial plentyn tu allan i brodes yn warth ar deulu. Peder ar ddeg oedd Anghiarad, cofiwch! Ac yn wâth fyth, ei brewd oedd têd ei phlentyn. Dychmygwch sut oedd Tomos yn teimlo. Er mor anghysbell ydi Tanpistyll 'cw, fe wydde fo mor anodd fydde ciadw beichiogrwydd Anghiarad rheg pobol. A sut bydde egluro'r plentyn pan giâi hwnnw ei eni? Ond fe alle fo gielu pwi oedd têd y plentyn! A dyna nethon nhw, fo a Megan. Chi'n diall, roedd Alun wedi giadel nodyn i'w dêd yn ymddiheuro am be oedd wedi digwydd.'

'Yn cyfadda mai fo oedd tad y plentyn?'

'Dyne chi.'

'Ac mi ddaeth hynny allan yn yr incwest, felly?'

Rhaid bod y cwestiwn yn annisgwyl oherwydd fe daflwyd Yncl Robet oddi ar ei echel am eiliad. 'Ym! Wel do . . . a nêddo. Sut bynneg, fe lwyson ni, rywsut neu'i gilydd, i giadw'r peth yn dawel. A newr dim ond chi, Inspector, ar wahên i Tomos a Megan, a finne wrth gwrs, sy'n gwybod.'

'Rhaid peidio anghofio'r Crwner, Mr Vuckan! Mae o'n gwybod yn dydi?' Fe garai fedru edrych i mewn i lygaid y dyn ond roedd o'n dal i gadw'i gefn crwm tuag ato. 'A phawb arall oedd yn llys y crwner yn gwrando, wrth gwrs. Aelodau'r wasg, siŵr o fod?'

'Na, doedd neb o'r papure'n digwydd bod yno ar y pryd.'

'O? Rhyfedd iawn. Mi fuoch chi fel teulu'n lwcus iawn, felly.'

Sythodd y dewyrth oddi ar y giât rŵan a throi i edrych, yn anghrediniol braidd. 'Lwcus, Inspector?'

'Wel ia. Na chafodd y wasg afael ar y stori dwi'n feddwl. Ma fo'r math o beth sydd at eu dant nhw fel rheol.'

'O! Wrth gwrs! Sut bynneg, dyna pem oedd raid ichi addo peidio deud wrth neb.'

'O, wela i!' Ond doedd o ddim yn gweld yn iawn chwaith sut oedden nhw wedi llwyddo i gadw'r holl beth yn ddistaw rhag y gymuned. 'Pe bawn i'n meddwl am eiliad,' meddai wrtho'i hun, 'bod cysylltiad rhwng y busnes yma ac achos llofruddiaeth Anne Harâd Vuckan yr holl flynyddoedd yn ddiweddarach, yna fyddwn i ddim yn fodlon nes troi pob carreg i gael at y gwir.' Ond doedd dim cysylltiad, a doedd ganddo ynta chwaith mo'r amser na'r awydd i fynd ar ôl y peth o ddifri.

'Ond fedra i ddim gweld bod hyn'na'n egluro pam y dylai'ch brawd deimlo mor euog.'

'Mae o'n euog, Inspector, am ma fo a yrrodd Anghiarad oddi ciartre . . . ac am ma fo a yrrodd Alun i foddi'i hun.'

'Bobol bach! Mae hyn'na ddeud go fawr, Mr Vuckan!'

'Nid fi sy'n 'i ddeud o, Inspector, ond Tomos 'i hun. Dyne'r groes ma fo wedi'i chiario ar hyd y blynydde. Ma fo'n beio'i hun am yrru Anghiarad i ffwrdd ac yn wâth fyth am yrru Alun i'w fedd ciynnar. Felly sut ma fo'n teimlo heddiw, dech chi'n meddwl, ar ôl claddu'i ail blentyn?'

Heb ddisgwyl ateb, trodd oddi wrth yr adwy ac anelu am y ffordd fawr a'r Lion, gan adael i'r plismon frasgamu i'w ddal. Wedi cyrraedd drws y dafarn, safodd a throi ac ychwanegu mewn tôn gyfrinachol, 'Ac ma rhywfaint o wir yn hynny, cofiwch! Am 'i fod o wedi methu madde iddi, ac wedi edliw ei gwarth iddi, yr êth Anghiarad i ffwrdd, a giadel Gwilym bêch efo ni, a fynte'n ddim ond chydig ddyddie oed.'

'Ond fe aeth eich brawd i chwilio amdani! Fe ddwedsoch hynny eich hun.'

'Do, a chial giafel arni hi hefyd. Ond ŵyr neb ond Tomos ei hun, Inspector, pem y giadawodd o iddi lithro o'i afel mor hewdd wedyn.'

Be oedd y dyn yn ei awgrymu tybed? 'Ond be am Alun? Fe arhosodd o?'

'Do. Ond dim ond llencyn oedd ynte. Fe ddaliodd Alun y strên am beder blynedd arall, a gwylio'i fêb yn tyfu efo fo. Y ddau'n tyfu efo'i gilydd fel 'se chi'n deud.'

'Ac wedyn?'

'Wel, mhen amser fe ddêth pall ar edliw Tomos, ond fe stopiodd pob siarad arall rhyngtyn nhw hefyd, chi'n gweld. Edliw mud oedd o wedyn, Inspector, ac rodd hwnnw lawn mor annioddefol ar aelwid Tanpistyll. Yn wêth fyth, wnâi Tomos ddim byd â Gwilym bêch chweith, a Megan a finne fydde'n edrych ar ei ôl. Dyne pam bod gien i'r fêth olwg ar y bachgien. A dyne pam ma Megan yn gweld 'i hun fel mem iddo fo. Ma Tomos wedi ciallio erbyn hyn, wrth gwrs, ac ma fo a Gwilym yn gneud yn iawn efo'i gilydd rŵan. Dyne pam dwi ddim am ichi gynhyrfu'r dyfroedd, Inspector. Newr cofiwch eich addewid!'

A chyda hynny roedd wedi troi ar ei sawdl a diflannu drwy'r drws, i ymuno â'i deulu ac â'r cwmni galarwyr oedd yno'n sgwrsio ac yn yfed te.

'Weeel!' meddai'r plismon wrtho'i hun, a theimlo diferion cynta cawod arall yn ei wallt. 'Rhai rhyfedd ydi'r Cymry 'ma. Mewn chydig funuda dwi wedi dysgu llawer heb orfod holi dim.' Nid bod y wybodaeth newydd, er yn ei synnu, o unrhyw gynnwrf nac arwyddocâd mawr iddo chwaith. Fyddai hi o ddim help iddo roi llofrudd y ferch o dan glo.

*   *   *

107

Bu'r daith adre'n hir ac yn dreth ar amynedd, nid yn unig oherwydd bod y cawodydd trymion yn ei ddilyn ond hefyd am fod y traffig ar ei waetha. Tractor a thrêlar, ac wedi hynny dwy lorri araf yn dynn yn ei gilydd, a'i daliodd o, ynghyd â rhes o rai tebyg iddo, yn ôl ar ffordd droellog y Trallwng; yna damwain, rhwng Amwythig a Telford yn creu oedi pellach; ac yn goron ar y cwbwl, y syrcas arferol wrth ymuno â'r M6. Nid bod arno frys anarferol i gyrraedd adre, oherwydd fe wyddai be fyddai'n ei aros – gwyneb sych a llais sychach. 'Wyddwn i ddim pryd i dy ddisgwyl di, felly mi fydd raid iti neud dy fwyd dy hun.' *Arclwydd mawr! Ma dyn yn haeddu gwell!*

Un fantais a ddeilliodd o arafwch y siwrnai oedd yr hamdden i feddwl yn ôl dros y diwrnod. Ffiasco llwyr fu'r pysgota; waeth cydnabod hynny ddim. Gwerth chwe chanpunt a hanner o gêr ym mŵt y car, a hwnnw erbyn hyn yn siom ac yn ddiwerth yn ei olwg. *Damia unwaith!* Nid ar chwara bach y byddai fo'n gneud y daith yma eto, i Clincluggah Hooke nac i unrhyw Clin arall chwaith yng Nghymru. Ac o'i ran o, fe gâi murddun Hafoty rwydd hynt i ddadfeilio'n llwch.

Ond os mai dadrithiad fu'r pysgota, roedd wedi cael gwedd chydig mwy ffafriol ar bobol y lle . . . ar y Cymry. Yn y *Lion,* roedden nhw wedi mynd allan o'u ffordd i'w dynnu fo i mewn i'w sgwrs ac wedi ei synnu hefyd efo'u hagosatrwydd agored. Pobol syml, ia, diniwed hyd yn oed, ond mewn ffordd oedd wedi ei blesio, oherwydd doedden nhw ddim wedi eu heintio gan ddiawledigrwydd hunanol bywyd tre a dinas. A

108

deud y gwir, roedd sgwrsio efo nhw wedi bod fel chwa o awyr iach.

Ac wrth feddwl felly, cofiodd eto ei ymweliad cynta â Clincluggah Hooke, a chynhesrwydd yr awel yn fan'no . . . a physgotwr bodlon . . . a'r llonyddwch perffaith. Wedi meddwl, falla y dylai styried rhoi ail gynnig ar yr enwair rywbryd?

Wedi cael twll i mewn, o'r diwedd, i ruthr malwennaidd yr M6, rhwng tancer olew a thransporter ceir *Porsche,* gadawodd i'w feddwl grwydro unwaith yn rhagor i ben ucha Cwmpistick-rwbath-neu'i-gilydd ac i Tan Pistick. Cofiodd fara menyn blasus a the mewn cwpan tseina denau. Cofiodd bwyso ar wal y cowt tu allan a'r haul yn gynnes ar ei wyneb, ac yn ei glust synau dŵr yn syrthio a rhwygiad gwair wrth i wartheg fwynhau'r borfa. A chân y gog! Roedd honno'n sicr wedi aros yn ei gof! Nid bod y Cwm-enw-gwirion 'na yn lle i fyw ynddo wrth gwrs – ddim ar unrhyw gyfri! – ond fe fu'r profiad o fod yno yn un cofiadwy a deud y lleia. Amheuthun o newydd, a gwahanol. Falla bod petha rhyfedd yn gallu digwydd yno o bryd i'w gilydd, ond dim byd i synnu dyn rhyw lawer chwaith. Llosgach, merch bedair ar ddeg yn beichiogi, ffrae deuluol, hogyn ifanc un ar hugain oed yn boddi'i hun . . . *So what? Dwi'n gweld petha felly bob dydd lle dwi'n byw ac yn y job dwi ynddi hi!* Beth bynnag oedd y Vuckans, a pha sgerbyda bynnag oedd yn eu cypyrdda nhw, doedden nhw'n ddim gwahanol i filoedd o deuluoedd eraill, yn y byd oedd ohoni heddiw. Be a'i plesiodd ef yn arbennig yn eu cylch oedd eu hagwedd barchus tuag ato fo a'i

109

swydd. Roedd peth felly'n dderbyniol iawn. Gresyn na châi ddod ar draws mwy o rai tebyg iddyn nhw yn ei fywyd ac yn ei waith bob dydd.

Gwilym, er enghraifft! Fe fu'i gwarfod o, a sgwrsio efo fo, yn bleser annisgwyl. Roedd yr hogyn wedi ei ddal yn edrych arno dros ymyl ei gwpan de yn y Lion ac wedi dod draw i'w gyflwyno'i hun. Mab Tan Pistick! Ac roedd ynta wedi chwilio am dystiolaeth yn y gwyneb ifanc o debygrwydd rhyngddo a'i fam, yr un oedd o newydd ei chladdu, ond wedi methu canfod unrhyw gysylltiad gweledol rhwng y corff cyhyrog iach hwnnw a'r corffilyn cleisiog, drylliedig a welsai'n darfod ar wely ysbyty mor bell i ffwrdd. Ond roedd tebygrwydd digamsyniol, serch hynny, rhyngddo a'i dad – ei daid yn hytrach! – a'i ddewyrth. Y tri'n dal a gwydn ac yn ysgwyddog gryf, a lliw y wlad ar eu gwynebau a'u breichiau. Cofiodd eto fel roedd yr hyn ddeudodd yr hogyn wedi cyffwrdd â'i galon – 'Falle'ch bod chi'n fy ngweld i'n gialad a dideimlad yn y fynwent, Inspector, ddim yn gollwn dagre, ond roeddwn i'n methu gialaru. Chi'n gweld, does gien i ddim co o gwbwl am fy whaer. Roedd hi wedi giadel ciartra pen o'n i mond bêch iawn a does gien i ddim co amdani'n dod adre rioed.'

'Ia, trist iawn!' meddai wrtho'i hun.

Cyn ei gwarfod roedd wedi dychmygu'r bachgen yn gorfod byw bywyd meudwyaidd fel ei ddewyrth, fel ei dad! . . . ond yn y Lion synnodd ei glywed yn rhestru diddordebau ac yn disgrifio oriau hamdden llawn – clwb ffermwyr ifanc, cwmni drama, côr. *Nid bod rheini'n ddiddordeba at ddant pawb, o bell ffordd!* meddyliodd yn wamal, ond o leia roedd gan yr hogyn fywyd! Ac roedd ganddo'i gar ei hun, i grwydro fel y mynnai, ac i ddengyd o awyrgylch gaeth Tan Pistick pan oedd o'n teimlo felly! Roedd un mab, o leia, yn cael llonydd i fwynhau ei ienctid yno. *A deud y gwir, faswn i ddim yn meindio tasa fy mab i fy hun yn tyfu i fod rywbeth yn debyg iddo fo!*

Roedd Gwilym wedi cyflwyno'i gariad iddo hefyd, sef Carol, y ferch siapus drawiadol honno y bu ef ei hun yn ei llygadu'n slei yn y fynwent. Oedd, roedd y taid wedi dysgu'i wers!

M69 i'r chwith, M6 ac (M1) yn syth ymlaen meddai'r arwydd uwchben y ffordd. Ni chofiai ddim o yrru greddfol y chwarter awr diwetha ond dechreuodd nyddu'i ffordd rŵan tuag at y slipffordd ar y chwith.

RHAN 2

Pennod 1

'Est ti ddim efo nhw?' Roedd Megan wedi dod i sefyll i'r drws a synnai rŵan weld Robet yn dal o gwmpas y buarth tra bod Tomos a Gwilym i'w gweld ar y tractor oedd yn araf ddringo'r llethr gyferbyn.

'Nêddo. Ma'r ciefen 'ma'n rhy ddrwg bore 'ma.'

Daeth diflastod dioddefus i lygad y chwaer-yng-nghyfraith ac edrychodd draw, fel un yn hen gyfarwydd â gwrando esgus a chelwydd. 'Yn ôl be ddwedodd Tomos, ma dyddie eto o waith agor ar ffosydd y Ryff Uche.'

'Oes, ond ma gwaith i'w neud yme hefyd, syweth!' Roedd wedi synhwyro'r feirniadaeth ac wedi oedi'n gyhuddol rŵan ar ganol cam.

'Ro'n i isie giair efo ti beth bynneg, Robet.'

'O? Am be, felly?'

Yn hytrach na throi'n ôl i'r tŷ a gadael iddo'i dilyn hi i fan'no, fe groesodd at wal derfyn y buarth. Yno, daliodd i ganlyn y tractor efo'i llygaid wrth i hwnnw bigo'i ffordd ar letraws i fyny'r llechwedd gyferbyn, a'r llwybyr trol anwastad oddi tano yn deud yn ysbeidiol ar ei beipen wynt. Roedd hi am ei ddilyn nes y diflannai i'r niwl oedd yn cydio am y copaon ac a oedd heddiw'n cuddio amlinell y Ryff Ucha o'i golwg. Roedd am ei ddilyn, meddai wrthi'i hun, nes clywed curiad olaf ei galon fetalaidd yn marw yn y llwydni draw.

'Wel? Be oedd arnet ti'i isie?'

'Mi lychen ac mi oeren yn y niwl ar y topie 'ne.'

Anwybyddodd ei thôn edliwgar, yn union fel ag yr oedd hi wedi anwybyddu ei gwestiwn yntau. 'Be oeddet ti isie'i ddeud, felly?'

'Fe fuest ti'n siarad yn hir efo'r plismon, ar ôl y gligeth ddoe.' Daliai i edrych draw ond gallai deimlo'i lygaid arni.

'Be os wnes i hynny?'

'Dim. Dest meddwl be oedd gennoch chi i siarad amdano mor hir, dyne i gyd. Siarad am Gwilym oeddech chi?'

'Falle.'

'Ac am Anghiarad?'

'Falle.'

'Ac am Alun?'

'Falle.' Roedd ei ymateb swta a thôn ei lais yn awgrymu *Be 'di hynny i ti?*

Trodd hithau i'w wynebu, gan fod y niwl, o'r diwedd, wedi cau am y tractor John Deere a'r ddau oedd arno. 'Be ddwedest ti wrtho fo, Robet?'

'Dim mwy na thithe, decenî.'

'Ddwedest ti wrtho fo pwy ydi Gwilym?'

'Do, fe ddwedes, ond roeddet ti wedi achub y blên, yn doeddet?'

Taniodd llygaid Megan. 'Nê! Sonies i ddim giair am Gwilym wrtho fo.'

'Nid dyne ddwedodd o wrthe i.'

'Yne roedd o'n rhaffu clwydde! Mi ddeudes bod Anghiarad wedi cial plentyn pen oedd hi'n ifanc. Roedd o'n gwybod hynny'n barod, medde fo. Ond faint mwy ddeudist *ti* wrtho fo, Robet?'

116

'Be dio o bwys erbyn hyn beth bynneg? Welwn ni mono fo eto.'

'Ond ar ôl yr holl flynydde a'r holl drafferth i gial pawb ffordd 'ma i feddwl ma fi ydi mem Gwilym! A be 'tai Gwilym ei hun yn cial clywed? Ddwedest ti wrtho fo sut y cieth Gwilym ei eni, 'te? Ma fi oedd efo Anghiarad ar y pryd?'

'Nêddo. Pem? Doedd dim byd o'i le ar hynny, neg oedd? Roeddet ti'n nyrs!'

'Damie unweth, Robet! Wyt ti ddim yn gweld? Doeddwn i ddim wedi nyrsio ers blynydde . . . ddim ar ôl priodi Tomos . . . ac fe ddeudson ni glwydde wrth y rejistrêr, ma Tomos a finne oedd têd a mem y plentyn. I arbed gwarth y teulu y cytunes i. Fyddwn i byth wedi cytuno fel arell. Be arell ddeudest ti wrtho fo, beth bynneg? Be ddeudist ti am Alun?'

Styfnigodd Robet Fychan fwy fyth, yn ei wyneb ac yn ei ystum. Aeth yntau, rŵan, i bwyso dros y wal ac i syllu i lawr ar y cwm. 'Mi ddeudis bopeth wrtho fo . . . mewn cyfrinech, wrth reswm! Ond sonies i ddim giair, iti gial diall, amdanet ti a Tomos yn deud clwydde wrth y rejistrêr. Dydi pethe felly o ddim diddordeb iddo fo siŵr iawn a fydd o ddim isie gweld tystysgrif gieni Gwilym byth, fydd o?'

Ochneidiodd Megan yn uchel. 'Ond pem deud dim wrtho fo?'

'I'w giadw fo rhag holi Tomos, dyna pem.' Daliai efo'i gefn ati. 'I arbed teimlade dy ŵr, yn union fel ag y gwnest tithe. Ac i'w giadw fo rhag gneud ymholiade pellach, a falle gial gwybod be sy ar dystysgrif gieni

117

Gwilym. Roedd o wedi synhwyro'n bod ni'n cielu rhwbeth, roedd hynny'n amlwg, ond ma fo'n fodlon newr ac fe giewn ni lonydd o hyn mlên. Rhaid iti gofio ma'r unig beth sy'n 'i boeni fo ydi pwy laddodd Anghiarad a does gien hynny ddim byd i'w neud efo ni. Felly go brin y deith o byth i'n poeni ni eto.'

'Iawn 'te! Gobeithio dy fod ti'n iawn, ac na fydd gianddo fo ragor o gwestiyne inni. Ond rheg ofn y bydd gianddo fo rwbeth eto i'w ofyn rywbryd, ma'n well inni ddiall ein gilydd, Robet. Wyt ti'm yn meddwl? Felly, giâd i mi fod yn siŵr o be ddeudist ti wrtho fo . . . Ma fo'n gwybod ma bachgien Anghiarad ydi Gwilym, felly?'

'Ydi.'

'A ma fo'n gwybod pem yr êth hi odd'me?'

'Ydi, oherwydd Tomos.' Roedd wedi troi i edrych arni.

Sythodd Megan ar ei sodlau, gan fod ei brawd-yng-nghyfraith o leiaf chwe modfedd yn dalach na hi. 'Peid ti â rhoi gormod o fai ar dy frewd, Robet! Dwyt ti ddim wedi anghofio mor anodd oedd pethe i Tomos ar y pryd, wyt ti?' Gwelodd ef yn osgoi ei llygaid. 'Be arall ddwedest ti wrtho fo? Fe ddwedest bopeth am Alun, medde ti? Ei fod wedi gneud amdano'i hun yn y ceinent? A phem?'

'Do.'

Ochneidiodd eto. 'Ddwedest ti wrtho fo am y nodyn oedd Alun wedi'i adel inni? Y nodyn lle'r oedd o'n deud 'i fod o wedi cial bai ar giam ac mai dyna pem oedd o'n mynd i dowlu'i hun i'r ceinent? Ddeudest ti am hwnnw hefyd, Robet?' Roedd hi'n fwriadol yn llwytho anghredinedd i'w chwestiwn. 'Y nodyn y ma Tomos wedi'i giadw dan glo dros y blynydde? Y nodyn ma fo'n 'i ddarllen o bryd i'w gilydd hyd heddiw, am 'i fod o isie dal i'w gosbi'i hun am be ddigwyddodd?'

'Nêddo.' Swniai'n bwdlyd rŵan. 'Sonies i ddim giair am y llythyr.'

'Iawn 'te! Gobeithio felly'n bod ni'n diall ein gilydd os dew'r Inspector i'n holi ni eto.' A throdd yn ôl am y tŷ, a'r amheuaeth ynglŷn â geirwiredd ei brawd-yng-nghyfraith yn aros.

Pennod 2

Roedd trannoeth yn fwynach ac yn brafiach ac ymunodd Yncl Robet efo'i frawd a Gwilym ar y Ryff Ucha, i fynd ymlaen â'r gwaith o ailagor y ffosydd yn fan'no. Mwynhâi'r ddau gi eu hamdden rhydd.

'Fe welwn wahanieth ar ôl hyn . . .'

Newydd eistedd i gael eu cinio oedden nhw, a'r tri yn dal i syllu'n fodlon ar rediad cyflym y dŵr yn y ffos wrth eu hymyl. Yn ymestyn oddi wrthynt fel soser anferth roedd pymtheg cyfair neu ragor o borfa fras, efo chydig frwyn yn dechrau hel yn y mannau gwlypa ohoni.

'A'r tir mor sy . . . soeglyd, buan y bydde'r by . . . brwyn wedi ciau i mewn. Erbyn y byddwn ni wedi agor ny . . . nacw eto . . .' Cyfeiriodd efo'i ben at rimyn o ffos llawn baw a migwyn a redai letraws ar y llethr gyferbyn â nhw. '. . . yna fe ddyle'r Ryff ddod ati'i hun yn gy . . . go lew.'

Gan mai mynegi barn amlwg oedd o, ni thrafferthodd y ddau arall ymateb iddi. Yr hyn oedd yn eu taro nhw oedd bod stytian Tomos gymaint yn well ers dyddia, a'i leferydd heb fod hanner mor llafurus. Edrychai'n well hefyd, fel petai pwysa go fawr wedi cael ei dynnu oddi ar ei ysgwydda. Credai Megan fod cael rhoi Angharad i orffwys wedi dod â rhywfaint o dawelwch meddwl i'w gŵr. O leia fe wyddai lle'r oedd hi bellach.

Prin fu geiria rhwng y tri wedyn, tra'n bwyta'u brechdana. Tawedog oedden nhw yng nghwmni'i gilydd ar y gora ond mi fyddai unrhyw lygad craff wedi sylwi heddiw ar ryw anniddigrwydd diarth ar wyneb Gwilym, fel pe bai'n ysu i ddeud rhywbeth ond yn methu cael ei dafod am y geiria.

O'r diwedd cododd Tomos, a Robet i'w ganlyn, a chychwyn i lawr am y tractor, i gyfnewid eu fflasg ddiod am raw, i barhau â'r gwaith. Cododd Gwilym ynta a dechra llusgo'n gyndyn ar eu hôl gan sylwi, wrth fynd, ar y fath debygrwydd rhwng dau frawd; y ddau'n hir eu coesa a llydan eu hysgwydda, a'r breichia'n hongian fel canghenna preiffion allan o lewys oedd wedi eu torchi'n uchel; gwallt y ddau yn britho ac yn teneuo yn yr un ffordd a rŵan yn chwalu'n ysgafn yn yr awel. Roedd tebygrwydd hyd yn oed yn y ffordd roedden nhw wedi tynhau'r gwregysa am eu canol, nes peri llacrwydd blêr yn y melfaréd o gwmpas y pen-ôl. Ac o'r pen-glinia i lawr, roedd trowsusa'r ddau wedi socian yn ddu yn nŵr y ffosydd. Oni bai bod Yncl Robet yn crymu'n ei war, byddai'n anodd iawn gwahaniaethu rhyngddyn nhw o'r cefn.

Arhosodd iddyn nhw ennill y blaen o ryw ugain llath arno, yna gwaeddodd. 'Nhêd!' Trodd y ddau i edrych yn ôl.

'Ie? Be sy'n bod, machgien i?'

Safent ysgwydd wrth ysgwydd yn syllu'n ddisgwylgar i fyny'n ôl ato.

'Ym! . . . Wedi meddwl cial giair, dyne i gyd.'

Er siom iddo, gwelodd y ddau ohonynt yn brasgamu'n ôl tuag ato. 'Damie unweth!' meddai wrtho'i hun. 'Dim ond efo Nhêd dwi isio siarad!'

'Giair ynglŷn â be, felly?'

Oedodd ynta, yn rhwystredig. Byddai wedi bod gymaint haws heb y dewyrth yn bresennol ond roedd yn rhy hwyr i hynny bellach. 'Ym! Ciarol a finne sy wedi bod yn siarad am bethe.'

'O? Ciarol a tithe? Am be felly?' Gwyddai Tomos fod tinc o bryder yn ei lais, er iddo geisio'i gelu.

'Den ni'n cianlyn yn selog ers bron i flwyddyn a . . . a . . .'

Robet ymatebodd gynta. 'Dech chi am briodi!'

Ar ei dad, serch hynny, y daliai Gwilym i edrych. 'Wel nê, ddim yn hollol. Rhyw feddwl symud i mewn efo'n gilydd, dyne i gyd.'

Os oedd siom ym meddwl Tomos fe lwyddodd i'w gelu. 'Cyd-fy . . . fy . . . fyw?'

Roedd Robet, ar y llaw arall, wedi stanshio. 'Ond fydde peth felly ddim yn iawn!'

'Rhwbeth rhyngto Ciarol a minne, a Mem a Ded wrth gwrs, fydd hynny, Yncl Robet. Dech chi ddim yn meddwl?' Roedd wedi rhag-weld ymyrraeth ei ddewyrth ac yn barod amdani.

Am eiliad fer, aeth yr awyrgylch yn drydanol, cyn i Tomos ddechra symud ei ben i fyny ac i lawr yn araf a doeth, fel pe bai'n gwrando ar ryw resymeg o bell.

'My . . . my . . . mater i chi o'ch dau, my . . . machgien i, ond mi fyddi di'n ymgyng . . . ymgynghori efo dy fem, gobeithio.'

'Wrth gwrs! Wnewn i ddim breuddwydio gneud dim byd gwahanol.'

'A lle fyddech chi'n by . . . by . . . byw?'

'Wel, meddwl cial gneud Hafoti i fyny oedden ni a chial ychwanegu ato fo. Fydde 'ne ddim problem cial caniatêd cynllunio, fydde 'ne?'

Daeth gwên araf i wyneb y tad wrth iddo'n raddol dderbyn y syniad a thyfu'n ffafriol iddo. 'Fe giawn ni drafod efo dy fem, heno. Rwsut dwi'm yn meddwl y bydd hithe'n gwrthwynebu chwaith.'

Roedd Robet eisoes allan o glyw.

*   *   *

Os oedd Gwilym wedi gobeithio cael sêl bendith ei fam y noson honno, yna fe gafodd ei siomi. Yn ôl eu harfer, gynted ag y cyrhaeddsant y tŷ aeth y tri i folchi ac i newid i ddillad sychion glân cyn ymgynnull wedyn wrth y bwrdd. Cadwai Megan yng nghysgodion y gegin, yn paratoi eu swper.

Gwilym oedd gynta i sylwi, wrth iddi estyn dysglaid o datws poeth heibio iddo i ganol y bwrdd. 'Mem! Be ar y dduar sy'n bod?'

A dyna pryd y gwelodd y ddau frawd hefyd y llygaid coch, gofidus.

'Megan!' Neidiodd Tomos i'w draed. 'Be sydd wedi digwydd, ngienath i? Rwyt ti wedi bod yn crio.'

Ciliodd hitha'n gyflym yn ôl i'r cysgodion gan smalio prysurdeb. 'Dim!' meddai hi. 'Does dim wedi digwydd. Dest wedi methu peidio meddwl am Anghiarad ydw i, trwy'r dydd. Dyne i gyd.'

Soniodd neb am gynllunia Gwilym a Carol y noson honno.

Pennod 3

Ar ôl llafur y dydd, fe gysgodd y tri dyn gwsg y
meirw'r noson honno. Ond am Megan, chafodd hi'r un
hunell. Am oria, bu'n gwrando ar anadlu cyson ei gŵr
wrth ei hymyl a chwyrnu ei brawd-yng-ngyfraith am y
pared â hi, a thrwy'r cyfan bu hi ei hun trwy bob math o
wewyr meddwl oedd yn tynnu dagra distaw. Erbyn i'r
wawr ddechra gwthio'i goleuni trwy ddefnydd trwchus
y llenni, fe wyddai be oedd raid ei neud a sut i'w neud
o.

'Gian eich bod chi bron â gorffen y gwaith ar y Ryff
Uche, ro'n i'n meddwl y galle Robet ddod efo fi i
Lanfeir i siopa heddiw, i helpu ciario'r neges . . . hynny
ydi, os nad ydi'i giefen o'n rhy boenus!' Roedd hi ar
ganol tywallt ail gwpanaid o de poeth i'r tri ohonyn
nhw.

'Os ydio'n iawn efo Ry . . . Robet yne ma fo'n iawn
efo fi.' Doedd Tomos ddim heb sylwi ar wedd welw'i
wraig a'r cleisiau duon dan ei llygaid. 'Ond os 'di'n
well gien Robet aros, yna fe ddy . . . ddof i efo ti.'

'Nê, fe êf i,' meddai hwnnw trwy lond ceg o fwyd a
heb brin godi'i ben.

Lai na hanner awr yn ddiweddarach roedd y John
Deere, efo'i lwyth o ddau, a'r cŵn i'w ganlyn, yn
cychwyn unwaith eto allan o'r buarth. O'r tŷ,
clustfeiniai Megan amdano'n mynd a churiad ei chalon
yn boen cynyddol yn ei brest. Smaliai brysurdeb mewn

golchi llestri gan geisio anwybyddu llygaid chwilfrydig ei brawd-yng-nghyfraith yn llosgi ar ei gwar.

Roedd Robet wedi mynd i sefyll â'i gefn at y lle tân. 'Pryd wyt ti isie cychwyn?'

Llyncodd hitha anadl ddofn i reoli'r cynnwrf gwyllt o'i mewn, yna sychodd ei dwylo er bod llestri budron eto i'w golchi. Heb air, croesodd lawr y gegin a sefyll eiliad yn nrws agored y tŷ, i neud yn siŵr fod y John Deere yn ddigon pell ac nad oedd beryg i'w gŵr na Gwilym ddychwelyd yn ddirybudd.

'Iste, Robet!' meddai hi'n swta dros ysgwydd, gan obeithio nad oedd cryndod i'w glywed yn ei llais. 'Dwi isie giair efo ti.' Trodd a phwyntio at y bwrdd, oedd erbyn hyn â'i wyneb yn glir. Gwyddai fod y chwilfrydedd yn llygaid ei brawd-yng-nghyfraith yn cynyddu wrth iddo'i gwylio'n croesi llawr y gegin unwaith eto, i estyn amlen o du ôl i un o blatia gleision y dresel.

'Giair am be, felly?' Daliai i sefyll lle'r oedd, yn ama tôn oer ei llais.

'Tyrd i iste wrth y bwrdd ac fe ddyweda i wrthet ti.'

Gwelodd hi'n gwthio'i bysedd i'r amlen ac yn tynnu ohoni lythyr a llyfryn bychan.

'Fe ddêth hwn efo'r Pôst ddoe, a dwi am i ti'i ddarllen o.'

Wrth ei gweld yn gwahanu dwy ddalen y llythyr ac yn eu smwddio'n fflat ar wyneb y bwrdd efo cledr ei llaw, fe gamodd ynta ymlaen am y gadair a gynigiwyd ganddi. Teimlai'n anesmwyth mwya sydyn, yn bennaf oherwydd y rhew yn ei llais.

'Be ydio, felly?' Eisteddodd yn ufudd.

'Darllen o!'

Roedd ei ddwylo fel dwy grafanc wrth iddyn nhw grafu'r ddalen gynta oddi ar y bwrdd a'i chodi i'w darllen. 'Susneg!' Sylwodd hefyd nad oedd cyfeiriad o fath yn y byd arno. Yn reddfol, felly, trodd at yr ail ddalen a diwedd y llythyr. 'Dim enw chwaith!'

'Darllen o!' Gorchymyn cryfach y tro yma.

Aeth Robet yn ddistaw a dechra darllen iddo'i hun y llawysgrifen fras, blentynnaidd. *Annwyl Mr a Mrs Vuckan, Dydach chi ddim yn fy adnabod i ond mi welais i chi yn yr incwest. Roeddwn i yno yn eistedd yn y cefn ac fe wnes i ysgrifennu'ch enw chi a'ch cyfeiriad chi pan oedd y dyn yn ei ddeud o. Roeddwn i'n ffrind gorau i Beth. 'Beth' oeddwn i'n ei galw hi achos ei bod hi'n deud mai Annabeth oedd ei henw hi ond ddaru hi rioed ddeud mai Vuckan oedd ei snâm hi chwaith. Roeddwn i yn ei hadnabod hi ers tair blynedd dwi'n meddwl, am bod ni'n gweithio yr un stryd, ac yn y diwedd naethon ni rannu ystafell efo'n gilydd. Roedd hi'n anhapus iawn o hyd ac roedd hi'n crio lot pan oedd hi'n sôn amdanoch chi ond roedd hi'n well ac yn hapus bob tro ar ôl cael fix. Roedd hi isio dod adre ond roedd hi ofn. Roedd hi o hyd yn sôn am ei babi hi ac roedd hi isio gwybod be oedd wedi digwydd iddo fo. Mae o'n ugain oed erbyn hyn medda hi. Ddaru mi'i weld o yn yr incwest, do? O'n i'n meddwl bod o'n debyg i Beth. O'n i'n meddwl bod o'n hogyn smart iawn. Dwi'n siŵr y bysa Beth wedi bod yn prowd iawn ohono fo. Roedd hi'n caru chi ac roedd hi'n deud o hyd bod ganddi hi hiraeth am ei Daddy ac am ei brawd, ond roedd hi ofn rhywun arall. Rydw i yn ysgrifennu hwn er mwyn anfon y llyfr bach yma ichi. Llyfr Beth ydio. Roedd hi yn ei gadw fo'n saff ac roedd hi o hyd ac o hyd yn darllen be oedd hi wedi bod yn ysgrifennu ynddo fo. Dydw i ddim yn gwybod os ydi o'n bwysig, achos mae pob dim ynddo fo wedi cael ei ysgrifennu yn Gymraeg a dydw i ddim yn medru deall dim byd ond dwi'n ei anfon o i chi rhag ofn bod o'n bwysig. Rydw i hefyd yn mynd i ysgrifennu at y plismon oedd yn siarad yn yr incwest i ddweud wrtho fo pwy ddaru ladd Beth. Dydw i ddim isio iddo fo wybod pwy ydw i, dyna pam dydw i ddim yn rhoi fy enw i chi chwaith. Roedd Beth yn hogan neis iawn ac roedd hi'n ffrind da i mi ond roedd hi bob amser yn drist. Mae hi'n hapus rŵan dwi'n meddwl. Mae gen i hiraeth mawr ar ei hôl hi. Hi oedd fy ffrind gorau i. God bless.*

A dau farc cwestiwn i ddilyn, i arwyddo bod awdur y llith yn dymuno bod yn anhysbys.

'Wel?' Roedd hi'n teimlo'i fod o wedi cael mwy na digon o amser i ddarllen ond dal i syllu'n fud ar y papur a wnâi.

'Pam wyt ti'n ei ddangos o i mi?' gofynnodd o'r diwedd. 'Ydi Tomos wedi'i weld o?' Oedd rhywfaint o sŵn rhyddhad yn ei lais, fel pe bai wedi disgwyl gwaeth?

'Fy ngienath i! Yn gorfod mynd trwy'r fêth uffern o fywyd! Wydde hi ddim hyd yn oed bod Alun ei brewd wedi marw, a hynny ers yr holl amser. Ac i feddwl ei bod hi wedi hiraethu am gartre dros yr holl flynydde. Ma nghialon i'n gwaedu drosti, y beth fêch! Ond pwy, meddet ti, Robet, oedd y *rhywun arall* oedd arni ei ofn?'

'Sut gwn i? Ti falle!'

'Rhywun oedd gienddi gyment o'i ofn nes . . .' Roedd hyder a min wedi magu yn llais Megan wrth i ddicter erlid y cyfyng-gyngor a fu'n ei phoeni, byth ers darllen y llythyr ei hun ddoe. '. . . nes ciadw drew o'ma am yr holl flynydde.' Yna, am ei bod yn methu ymatal dim hwy, cododd ei llais yn gyhuddol, 'Y cythrel iti, Robet!'

Fel un wedi ei ddal i lawr yn rhy hir yn groes i'w ewyllys, neidiodd y brawd-yng-nghyfraith i'w draed rŵan, mewn sioe o ddigofaint cyfiawn, gan beri i'w gadair bowlio'n ôl yn swnllyd wysg ei chefn. Ni osiodd yr un o'r ddau i'w chodi.

'Wyt ti'n awgrymu ma fi oedd hwnnw?' Er bod ei lygada ynta'n fflachio, roedd ei anghysur, serch hynny, yn gwbwl amlwg.

'Ydw! A mwy! A wâth iti heb â gwadu chwaith. Darllen hwn'ne!' A daliodd lyfr nodiada Angharad yn agored o'i flaen. 'Fe wnâi les iti ei ddarllen i gyd, o'i ddechre i'w ddiwedd, i wybod sut y ma hi wedi gorfod diodde o dy achos di . . . y beth fêch annwyl iddi hefyd! . . . ond fe ddyle dest darllen y drydedd dudalen 'ne fod yn ddigon i godi cwilydd arnet ti.' Yn reddfol, plygodd i godi'r gadair yn ôl ar ei thraed a'i gwthio unwaith eto at y bwrdd.

Yr un mor reddfol, eisteddodd yntau'n ufudd ynddi ac estyn am y llyfr bach oedd wedi ei osod yn agored o'i flaen. Sylwodd Megan ar gryndod ei law wrth iddo gydio ynddo, cryndod dicter ac ofn yn gymysg.

. . . yn teimlo mor wan, heb giael fy nerth yn ôl wedi'r esgor ac mae gien i'r fath hireth am Danpistyll, ac am

Dadi ac Alun a Megan, ac am fy mabi bêch. Mae'r ddinas fawr 'ma mor brysur ac mor anghiaredig. Dwi'n methu cysgu'r nos yn yr hostel, yng nghianol yr holl estronied oherwydd dwi'n breuddwydio o hyd ac o hyd ac yn gweld y boen yn llyged Dadi wrth iddo fo edrych arna i, ac rwy'n crio llawer am fy mod i wedi gwrthod dweud wrtho fo pwy ydi têd y cog bêch, ac am fy mod i'n gwybod na cha i byth fynd adre eto, am na fedra i byth ddeud y gwir wrtho fo, oherwydd mi fydde hynny'n achosi mwy o ddiodde a mwy o boen iddo fo . . .

'Weli di'r inc wedi rhedeg ar y papur, Robet? Be fase wedi achosi hynny, meddet ti?'

Anwybyddodd ei chwestiyna edliwgar ac, er yn gyndyn, darllenodd ymlaen.

. . . Mae'r cog bêch yn dri mis oed heddiw ond does gien i ddim synied hyd yn oed pa enw mae o wedi'i giael ganddyn nhw. Gwion Alun oeddwn i isie'i alw fo ond ddaru neb ofyn i mi. Ma Gwion yn enw neis dwi'n meddwl ac rôn i isie Alun hefyd am fod Alun fy mrawd wedi bod yn ffrind da i mi pan ôn i'n ciario Gwion bêch, ond ddaru mi ddim deud wrth Alun, chwaith, pwy oedd y têd. Fedrwn i ddim. Dwi wedi sgrifennu llythyre at Alun ond wnes i losgi pob un wedyn . . .

Wrth iddo ddod i waelod y dudalen, gwthiodd Robet y llyfr oddi wrtho, cystal ag awgrymu ei fod wedi cyflawni'i ddyletswydd ac wedi bodloni ei chwaer-yng-nghyfraith. 'Mi fydde'n well inni gychwyn am Lanfeir, imi gial dod 'nôl at fy ngwaith.'

Ond roedd hi eto'n barod amdano a thrawodd law galed ar ei ysgwydd i'w gadw yn ei le. 'Iste lle'r wyt ti,

Robet! Esgus gien i oedd y mynd i siope i Lanfeir. Fe fues i yno fy hun ddoe, iti gial diall, tra oeddech chi ar y Ryff Uche'n agor ffosydd ac fe ges neud hynny o siopa oedd raid. A rheg iti gial unrhyw syniade, fe gês i hefyd neud llungopïe o'r llythyr ac o'r llyfyr yn swyddfa Jones and Morris y cyfreithwyr ac maen nhw wedi eu ciedw'n sêff gien i. Dest rhag ofan, yn de! Rŵan darllen be ma hi'n 'i ddeid ar dudalen nêw.'

Yn ufudd, am y synhwyrai nad oedd ganddo ddewis arall, bodiodd drwy'r dalenna treuliedig, pob un wedi ei rhifo yn yr un inc â'r llawysgrifen ei hun. Ac wedi ei chyrraedd, gwelodd farc pensel ar yr ymyl-ddalen i'w gyfeirio at y llinella yr oedd disgwyl iddo'u darllen.

. . . *Rwyf wedi blino'n lên yn trio ciael gwaith, maen nhw'n deud bod yn rhaid i mi giael National Insurance Number ond dydw i ddim yn gwybod sut i giael peth felly. Roedd rhywun yn deud na fedra i giael un am fy mod i'n rhy ifanc ond rydw i am drio eto rywsut ne'i gilydd i giael gwaith achos mae'n rhaid i mi giael arian i giael mynd o'r hostel 'ma i fyw. Mae'n giâs gien i'r lle. Ma hi'n swnllyd iawn yma weithie ac ma dynion wedi meddwi weithie'n fy mhoeni ac yn fy nychryn i. Ma nhw'n fy ngialw fi'n 'bloody big Welsh baby' a 'Welsh bitch' am mod i'n crio o hyd, a ma nhw'n fy nynwared fi'n siarad, ac yn chwerthin am fy mhen, ond dydyn nhw ddim yn gwybod bod gien i hireth mawr am Dadi a Megan, ac am Alun, a dydyn nhw ddim yn gwbod bod Gwion bêch yn bum mis oed heddiw. Dyna pem dwi'n crio rŵan wrth sgrifennu . . .*

'Fedri di feddwl be oedd yr un fêch yn gorfod ei

ddiodde, Robet?' Roedd ei llais, os rywbeth, yn oerach ac yn galetach na chynt. 'Newr dos i dudalen un ar ugen.'

Taflodd y ffermwr gip o ddiflastod dros ysgwydd a gweld bod y rhifau ganddi ar ddarn o bapur yn ei llaw, yn gadarnhad, os oedd angen hynny, ei bod wedi bod trwy'r llyfr efo crib fân, i ddewis a dethol darna iddo'u darllen. Fe wyddai oddi wrth ei gwyneb rhew ac oddi wrth ei hystum herfeiddiol ei bod hi bellach ar gefn ei cheffyl a bod gwaeth eto i ddod ganddi. Ond cyn hynny roedd hi am chwara mig efo fo, fel cath yn chwara efo llygoden!

. . . *Os gwn i ydi Gwion bêch yn ciael te parti heddiw oherwydd ma fo'n ciael ei benblwydd yn dair oed heddiw. Dwi wedi crio lot fawr heddiw a dwi dest â marw isio gwybod i lle ddaru Dadi ei yrru fo iw adoptio, gobeithio ddim i rywun yn Lloeger. Dydw i ddim isio iddo fo fyw yn Lloeger a dysgu siarad Susneg a rhegi fatha dynion fan hyn. Mi fyse Alun yn medru deud wrtha i lle ma fo dwi'n siŵr ond ma gien i ofan sgrifennu ato fo i ofyn. Mae Sylvia sy'n gweithio efo fi yn Tescos isio i mi fynd efo hi i ysgol nos i ddysgu siarad Susneg yn iawn a pasio arholiade. Falle y gwna i . . .*

Heb iddi orfod deud wrtho, gwelodd Robat fod cofnod arall, eto wedi ei farcio â phensel, ar y dudalen gyferbyn ac aeth ymlaen at hwnnw, yn hytrach nag aros am orchymyn arall ganddi.

. . . *Fe fues i yn y dosbarth Susneg ar ben fy hun heno oherwydd mae Sylvia wedi ciael cariad a fydd hi ddim yn mynd byth eto medde hi oherwydd mae hi wedi ciael*

llond bol. Dwi'n mwynhau mynd yno oherwydd weithie
mae Mr Andrews yr athro yn darllen barddonieth inni a
dwi'n mwynhau barddonieth, yr un fêth â Megan, ond
ddim heno, achos heno fe wnes i grio yr holl ffordd adre
am fod Mr Andrews wedi darllen barddonieth drist o'r
enw 'Guilt and Sorrow' gien Wordsworth. Fe ofynnes i
iddo fo am gopi o'r farddonieth, imi giael cofio y
llinelle trist, am fod Wordsworth wedi eu deud nhw mor
dlws a dwi'n mynd i ysgrifennu'r llinelle ar bapur a'i
sticio fo ar y wal wrth ymyl fy ngwely yn y tŷ lojin –

And homeless near a thousand homes I stood
And near a thousand tables pined and wanted food
Mae gien i hireth am gartre . . .

'O styried na chafodd yr un fêch lawer o ysgol ar y
gore, ma hi wedi gneud yn rhyfeddol i gofnodi cyment.'
Roedd hi wedi troi draw i wynebu'r lle tân, ei llais yn
fwy breuddwydiol a dagreuol erbyn hyn, ond yr un mor
edliwgar serch hynny. 'Wyt ti'm yn meddwl hynny,
Robet?' A phan na chafodd ateb, aeth ymlaen, 'Y llyfyr
bêch yna oedd ei unig ffrind hi!' Oedodd eto, cyn troi'n
gyhuddol i'w wynebu, a chodi ei llais yr un pryd.
'Dychmyga'r peth wnei di!'

Gyda dau gam ymlaen, cipiodd y llyfr oddi ar wyneb
y bwrdd, ei blygu'n ysgafn yng nghledr ei llaw a gadael
i'r dalennau lifo dros ymyl ei bawd. 'Dim ond yn hwn
roedd hi'n gallu ymddiried 'i theimlade . . . deud 'i
chŵyn . . . rhannu'i galar. Doedd gienddi unlle arall i
droi. Unlle yn y byd mawr crwn! Diolch i ti! Ac i ninne
hefyd, ma'n siŵr! A meddylie mewn difri bod y beth
fêch wedi gweld ei thrasiedi hi ei hun yng ngeirie'r

132

bardd Susneg o bawb! *Guilt and Sorrow*! Iogrwydd a
gialar! Den ni'n gwybod pwy giafodd y gialar, on'd
yden ni Robet, ond pwy pie'r iogrwydd sgwn i?'

'Dwi wedi gwrando digon ar dy gyhuddiade dwl di,
Megan!' Roedd ar ei draed eto a'i lygaid, er yn tanio, yn
osgoi ei rhai hi. 'Ddarllene i ddim rhagor ohono fo. Dwi
wedi gweld dim tystioleth o gwbwl ma fi anfonodd
Anghiarad o'me, fel rwyt ti'n geisio'i awgrymu. Pem
fyswn i'n gneud hynny, beth bynneg?'

Roedd bron allan drwy'r drws cyn iddi gael ei gwynt
ati. 'Iawn te, Robet. Os na ddarlleni di fo, yne bydd reid
i Tomos neud hynny'n dy le, yn bydd?' Gwelodd ef yn
aros ond yn dal i gadw'i gefn ati. 'Rydw i wedi dy
giadw di yma bore 'ma er mwyn arbed teimlade Tomos
ond ar ôl hyn paid ti â meddwl fy mod i na Tomos yn
mynd i dy ddiodde di o dan yr un to â ni byth eto.'

A thra daliai ei brawd-yng-nghyfraith i sefyll yno'n
syfrdan, dechreuodd Megan ddarllen yn uchel a dagreuol
o dudalen arall: *'Anifel o ddyn oedd y cwsmer olaf gies i
ac fe ddaru fo wrthod talu'r pris llewn imi, gneud esgus
fod gien i fymryn o annwyd a bod hynny wedi difetha'i
bleser o. Mi fydd Marco'n flin ac yn gwarafun imi giael
fix ond does gien i ddim dagre ar ôl. Ma'n gias gen i
sefyllian ar y stryd ymhob tywydd fel buwch ne ddafed
yn ciael 'i gwerthu ym marchned Trallwm ond ma'n gias
gien i ddod 'nôl i fame hefyd. Ma rhei dynion yn wâth
na'i gilydd ac yn codi ofan mawr arne i. Ond mi fydde
i'n trio'u anghofio nhw i gyd ac yn dychmygu bod yn ôl
yn Tanpistyll, efo'r haul yn gynnes braf ar fy ngwyneb
a'r awyr yn lês, a'r adar bêch yn cianu, a'r defed yn*

brefu ar y Ryff Isa ac rwy'n clywed Dadi a Mami yn
chwerthin yn y tŷ ac ma Nel a Mic yn cyfarth ac yn
rhedeg ar ôl y gieir ar y cowt ac mae Alun a finne'n
chware ac yn chwerthin yn y gowlas a dwi'n clywed
ogle'r gwair cynnes. Ond ma Yncl Robet o hyd yn dod i
ddifethe'n hwyl ni ac ma'r breuddwyd yn diflannu a
dwi'n gorfod crio fy hun i gysgu. 'Cyw a fegir yn uffern,
yn uffern y mynn fod.' Dyne fydde Dadi'n arfer 'i ddeud.
Ond nid uffern Uffern oedd o'n feddwl medde fo ond bod
cyw bêch sydd wedi'i ddeor yn tŷ, mewn lle ciynnes wrth
y tên, yn hapusach yn fan'no neg yn unlle arall, hyd yn
oed ar ôl iddo fo dyfu'n ffowlyn clên. Os felly, yna
aelwyd Tanpistyll ydi fy uffern i a'r lle melltigiedig yma
ydi'r Uffern arall, yr un go iawn. Be ma Dadi a Megan
ac Alun yn 'i neud rŵan tybed? Dwi'n crio weithie'n
meddwl falle bod Dadi wedi marw. Ma Gwion Alun yn
bymtheg oed heddiw – yn rwle neu'i gilydd!!

'A dyne'r cofnod olaf sydd gianddi, ond mi weli di
be sydd wedi digwydd iddi, Robet!' Er bod dagra'n
ddisglair yn ei llygaid ac yn gwlychu'i gruddia, eto i
gyd roedd y min cyhuddgar yn aros yn ei llais. 'Be
fydde hi wedi'i neud, meddet ti, pe gwydde hi fod
Gwilym yn byw yma efo ni, yn Nhanpistyll?

'Y cofnod ola, ddwedest ti?'

'Ie. Ac mi nêth hi hwnnw dros bum mlyne'n ôl
bellach. Sgrifennodd hi ddim byd yn y llyfyr wedyn.
Duw'n unig sy'n gwybod faint oedd raid i'r beth fêch
ddiodde yn ystod ei blynyddoedd ola. Fe welest *ti* ei
chorff bêch hi yn y mortiwari, Robet, felly mae gien ti
gystal synied â neb.'

Ond prin ei fod yn gwrando. Roedd rhywfaint o'i hyder wedi llifo'n ôl iddo. Gwelodd hi ef yn sythu o'i blaen, fel rhywun wedi cael cam dirfawr.

'A dyne'r cwbwl sydd gien ti i mygwth i?' Crechwenodd yn hyll. 'A dyne'r chwilen sydd gien ti yn dy ben?' Chwarddodd rŵan yn fyr ac yn gas. 'Wel, o'm rhen i, mi giei di ddengos y llythyr a'r llyfyr i Tomos!'

'Ac fe wnêf hefyd, iti giael diall! Ond giâd imi d'atgoffa di gynte bod Alun wedi mynd i'w ange, yn ddim ond ugen oed, am iddo fo giael bai ar giam giennon ni. A dwi'n cofio, mor glir â ddoe ddwethe – fel tithe dwi'n siŵr! – mai *ti* a neb arall a blannodd y synied ym meddwl Tomos mai Alun oedd têd Gwilym. Ond wnest ti mo hynny nes i Anghiarad adel, nêddo? Fe êth hi gianol nos, a Gwilym ond tridie oed! Nethon ni ddim hyd yn oed gofyn iddi os oedd gianddi enw i'r cog bêch! A phewb yn 'i drin o wedyn fel 'se fo'n esgiymun. Ti'n cofio'n iawn, Robet, fel roedd Tomos bron â hurtio wedi i Anghiarad fynd. Ti'n cofio cystal â neb fel bydde fo'n crwydro'r ardal 'ma'n chwilio amdani.'

'A finne i'w ganlyn!'

'Ie! A tithe i'w ganlyn!' Roedd ei goslef yn tanlinellu coegni'r geiria. 'Ac mi ddêth adre un nosweth bron colli'i synhwyre, am dy fod ti wedi deud wrtho bod Anghiarad wedi deid wrthet ti mai Alun oedd têd Gwilym bêch!'

'Deud wnes i ei bod hi wedi llithro deud rwbeth oedd yn awgrymu hynny!'

'Hy! A hithe wedi gwrthod deud dim giair ar hyd yr

135

amser wrth 'i thêd, er ei fod o wedi'i holi hi'n dwll? Paid ti â meddwl y gelli di daflu llwch i'm llyged i ddim rhagor, Robet.'

'Roedd y ddau efo'i gilydd bob amser. Fel ti'n gwybod dy hun, Megan, fydde un byth yn mynd i unlle heb y llall.' Pwdlyd a diargyhoeddiad oedd y perswâd yn ei lais ond fe lwyddodd ei eiria, serch hynny, i danio'i llygaid hi.

'Taw â'th feddwl drwg, y cythrel! Brawd a whaer oedden nhw, neno'r Têd! Roedd yn naturiol iddyn nhw fod yng nghwmni'i gilydd. Doedd giennyn nhw neb arall yn y Cwm. Ond wedi i Anghiarad fynd, roedd yr hedyn drwg blannest ti ym meddwl Tomos yn ddigon i suro pethe rhyngtho fo ac Alun hefyd, y cythrel iti!'

'Beder blynedd wedyn y taflodd Alun ei hun i'r ceinent!' Roedd Robet hefyd yn gweiddi rŵan. 'Ac rwyt ti am roi'r bai arna i, wyt ti, fod Tomos wedi gwrthod siarad efo'i fêb am yr holl flynydde?'

'Rhyngtoch chi'ch dau doedd gian Alun druen ddim gobeth. Oedd, roedd Tomos yn afresymol ar y pryd, dwi'n cyfadde hynny, ond roedd gianddo fo rywfent o reswm i fod, ar ôl y clwydde ddeudest ti wrtho fo, ac ar ôl be oedd wedi digwydd i Anghiarad. Roedd o bron â gwallgofi iti gial diall! Yn beio'i hun am be oedd wedi digwydd iddi. Ac wedyn dyma ti yn dod â dy hen ensyniade hyll – dan din hefyd! – ynglŷn ag Alun, dest i achub dy groen ciachgi diffeth dy hun, ac fe yrrodd hynny dy frawd oddi ar ei echel yn lên, fel y gwyddost ti o'r gore! Pa ryfedd bod Alun druen wedi cymryd ato fel y gwnêth o? Fe dries i ngore iddyn nhw gymodi, ond

136

roedd y drwg wedi'i neud, on'd oedd o Robet? Gen ti! Roedd Tomos yn mynnu gweld styfnigrwydd Alun fel arwydd o'i iogrwydd, ac Alun, griadur bêch – yn ddim ond un ar bymtheg oed! – yn gweld mudandod ei dêd fel cyhuddiad oedd yn gwrthod mynd i ffwrdd . . . ddiwrnod ar ôl diwrnod, mis ar ôl mis, blwyddyn ar ôl blwyddyn . . . nes i bethe fynd yn drech na fo. A does dim rhaid imi ddeud, wrthot *ti* o bawb, fod Tomos wedi torri'i gialon yn lên wedi i Alun fynd. Oni bai am Gwilym bêch bryd hynny, i'w giadw fo'n giall, dwi'n ofni y bydde dy frawd wedi dilyn 'i fêb i bwll y ceinent.'

Oedodd i edrych arno ac i ddisgwyl rhyw fath o ymateb ond roedd Robet wedi troi ei gefn arni eto, i syllu allan drwy'r drws agored, fel dafad yn gweld giât corlan yn cil-agor o'i blaen ond yn amau unrhyw ryddid parhaol tu draw iddi.

'Wyt ti'm yn meddwl 'i fod o'n eironig, Robet?' Arhosodd, y tro yma'n benderfynol o'i gael i ymateb.

'Be?'

'Mai ti ddaru achosi'r boen i Tomos . . . ond hefyd mai dy fêb di ddaru'i giadw fo'n giall?'

Trodd Robet mor wyllt ar ei sawdwl nes y bu bron iddo golli'i gydbwysedd. Hyd yn oed yng ngwyll y stafell ac yntau fawr amgenach na silwét iddi yn erbyn golau'r drws agored, gallai hi weld fflach ei lygaid a düwch ei geg agored wrth i honno agor a chau rhwng pob sill.

'Gwylie di dy dafod, y sguthen! Ro'n i'n ame ers meitin mai at hyn oeddet ti'n dod! Ond meiddie di awgrymu i neb arall ma fi ydi têd Gwilym ac mi a' i â chdi i gyfreth dros dy ben. Y gnawes glwyddog! Dydi hwnne,' a phwyntiodd at y llyfr yn ei llaw, 'yn profi dim.'

Er iddo gymryd cam bygythiol ymlaen, i wyro fel rhyw fwltur tywyll drosti, eto i gyd ni ildiodd Megan ei lle iddo ar ganol llawr ei chegin. Yn hytrach, sythodd yn herfeiddiol o'i flaen. 'Sawl gwaith dros y blynydde, dywed, y clywes i ti'n cyfeirio at Gwilym fel *cyw o frid*? Ddaru Tomos na finne rioed ddychmygu be oedd gien ti mewn golwg. Ond dwi'n gweld rŵan! *Cyw o frid* wir! Rhad arno fo os bydd o'n debyg i ti byth! Rŵan dos o 'ngole i, imi fedru darllen iti un peth arall sgrifennodd Anghiarad yn ei llyfr bêch.' Ac efo bys yn procio'r llyfr yn gyhuddgar, a heb ymdrech o gwbwl i gelu'r boddhad roedd hi'n gael o roi ei brawd-yng-nghyfraith yn ei le, dangosodd iddo'r dudalen gynta. 'Un o'r pethe cynte sgrifennodd hi oedd hwn, Robet, ond mi feddylies i'i giadw fo tan rŵan, dest i dy glywed ti'n trio gwadu. Ma'n gias gien i ddarllen y fêth eirie, iti gial diall, ond dyme nhw iti! . . . *Mi feddylies ddoe pan gyrhaeddes i efo'r traen y byswn i'n sêff o'r diwedd oherwydd fe glywes Lowri Ciae Cianol yn deud yn yr ysgol stalwm bod gianddi fodryb yn byw yn Leicester a'i fod o yn lle neis iawn, ond rhaid ma rhaffu clwydde oedd Lowri oherwydd dydi o ddim yn lle neis o gwbwl. Mi fethes i giael lle i aros neithiwr ac roedd raid imi gysgu ar fainc yn y steshon ond chysges i ddim chwaith oherwydd ro'n i dest â fferru ac roedd gien i ofan y dynion oedd yn stopio o hyd i lygadu. Dwi wedi ciael lle*

mewn hostel heno a dwi wedi prynu'r llyfyr bêch yma, a
beiro i sgrifennu ynddo fo. Ma gien i £35.70 ar ôl o'r
arian oedd Yncl Robet yn ei roi imi bob tro ar ôl iddo fo
fynd â fi i'r gowlas . . .

Gwelodd Megan ei brawd-yng-nghyfraith yn
stanshio ac yn gwelwi ac yn troi oddi wrthi unwaith eto
ond yn methu peidio aros, serch hynny, i glywed y
gwaetha.

. . . pan oedd Alun yn helpu Dadi yn y ciae a Megan
wedi mynd i Lanfair ne'r Trallwm i siope. Roedd o'n
deud bob tro y byse raid imi fynd i giartre plant drwg
'se Dadi'n cial gwybod. A pan ddwedes i wrth Yncl
Robet mod i ofan mod i'n disgwyl babi, bod misglwy
heb fod arna i ers chwe mis, fe ddaru fo ddychryn a
deud celwydd mod i wedi bod yn lodes ddrwg efo
rhywun yn yr ysgol ne'r pentre ac os byse Dadi'n cial
gwybod pwy oedd y têd yna mi fyse Dadi'n mynd a'n
giadel ni am byth. Wnêth Yncl Robet ddim mynd â fi i'r
gowlas wedyn . . .

Sychodd Megan ragor o ddagrau. 'Sut gythrel fedret
ti, y mochyn diawl! Gieneth fêch ddiniwed fel'ne!
Hogan fêch dy frawd dy hun! Peder ar ddeg oed oedd
hi, neno'r Têd! A thithe ugen mlynedd yn hŷn ne hi!'

Wyddai Robet ddim i lle i droi yn ei gywilydd.
Rhuthro allan roedd o isio'i neud, roedd hynny'n
amlwg, a hwyrach daflu ei hun i'r pwll cynta y dôi iddo,
ond roedd wedi ei wreiddio i lawr y gegin; wedi ei ddal
gan yr hyn oedd eto i ddod. Rhaid oedd gwybod bwriad
nesa ei chwaer-yng-nghyfraith, a fu dim rhaid iddo aros
yn hir.

'Dwi isio ti allan o fa'me o fewn yr wthnos iti gial diall. Fedra i ddim diodde meddwl amdanat ti o den yr un to â ni.'

'Fi pie hanner y fferm!' Ond protest ddiargyhoeddiad oedd hi. 'Be fydde Tomos yn ddeud?'

'Be fydde Tomos yn ddeud, meddet ti, 'te fo'n gweld y llyfyr?'

'Ddangoset ti mo'no fo iddo fo!'

'Wyt ti am fy herio fi, Robet? Wyt ti wedi meddwl be wnaethe Tomos 'se fo'n gwybod mai ti, ei frewd bêch fo'i hun, ddaru yrru Anghiarad i fod yn hwren? Ac Alun i dowlyd 'i hun i Bwll y Ceinent? Mi fydde dy groen di ar y pared cyn nos. A be, meddet ti, fydde Gwilym yn 'i feddwl 'se fo'n ciael yr hanes? A phem wyt ti'n meddwl fy mod i'n rhoi'r cyfle yme iti hel dy drêd o'ma? . . . Ti bie hanner y fferm, meddet ti, ond Gwilym fydd â'r hawl ar y siêr honno yn de? Ac ar siêr Tomos hefyd, wrth gwrs! Fo fydd yn ffermio Tanpistyll mhen rhai blynydde ac, i Tomos, ma'r olynieth honno'n bwysig iawn.'

'Ond lle'r a' *i*?'

'Fe giei di fynd i'r diawl â thi, ond fedra i mo dy stumogi di yn fa'me reit siŵr, ddim eilied yn fwy neg sydd raid. Mae gien ti ddigon o arian wedi'i gribinio, felly gwaria beth ohonyn fo ar neud Hafoty'n gartre i ti dy hun? Ma fan'no cyn agosed ag y medrwn i dy ddiodde di.'

'Sut medre i fynd i Hafoty? Ma rhywun arall isio hwnnw!'

Ond prin gwrando oedd hi. 'Gwell fyth fase iti

symud i'r Trallwm ne Syswallt ne rwle arall digon pell. Fe giei di wthnos i drefnu ac fe giei di ddeud wrth Tomos a Gwilym dy fod ti'n riteirio. Gwna esgus o'r ciefen drwg 'na. Fydde fo mo'r tro ciynta!'

Yn mwmblan yn anfoddog y gadawodd Robet y tŷ, yn ddyn hanner cant a phump a wyddai ei fod wedi ei drechu'n llwyr. Aeth am y sgubor, i lyfu'i glwyfa ac i gynllunio'i ddyfodol ansicir. Ond lle i ddechra? Tanpistyll, wedi'r cyfan, oedd ei uffern yntau!

RHAN 3

Pennod 1

'Pa mor amal fyddi di'n mynd adra i Iwerddon, Paddy?' Wrth iddo sipian yn swnllyd o'i goffi poeth, roedd wedi gosod un boch tin i orffwys ar gornel desg y Gwyddel. O'u cwmpas roedd eraill hefyd yn sgwrsio uwchben eu paned ddeg.

Gwenodd hwnnw. 'Pob cyfle ga i. Mae pob cyw yn hiraethu am y nyth y cafodd ei fagu ynddo fo.'

'Ond dydi cyw ddim yn gyw am byth! A dydi nyth ddim yn rhwbath parhaol chwaith!'

Edrychodd y Gwyddel yn graff arno dros ei sbectol. 'Mae sŵn chwerw yn dy ffraethineb di, gyfaill! Ac mae'r gwyneb ffidil yna'n dweud dy fod ti'n anhapus dy fyd eto heddiw.'

Oedodd Dî Sî cyn ateb, a byr fu ei ymdrech at wên. 'Y blydi dyn 'ma, dyna i gyd!' Fel pe bai angen, nodiodd at yn ôl, i gyfeiriad swyddfa'i Dditectif Inspector. 'Wyddost ti mod i wedi holi bron i hannar cant o weithwyr Adams Electronics wythnos dwytha – fy hun bach, cofia, tra oedd o'n galifantio! – a mod i wedi llwyddo i gael enw iddo fo . . .'

'O? Ac am ba gês wyt ti'n sôn?'

'Treisiwr Hightown! A rŵan mae Fforensig wedi cael proffeil DNA ac wedi cael mats ac mae'r basdad i mewn gynnon ni'r eiliad 'ma, yn cael ei holi.'

'O! Felly be sydd wedi suro'r lyf affêr fawr rhyngot ti a dy fòs?'

'Callia, wir Dduw, Paddy! Does dim posib cael sgwrs gall efo chdi byth.'

Ond parhau wnâi gwên y Gwyddel. 'Rwyt ti'n rhy ifanc i golli dy hiwmor, Dî Sî! Beth bynnag wnei di, paid ag anghofio sut i wenu, neu buan iawn y byddi di wedi mynd yr un fath â dy ffrind. Sut bynnag, llongyfarchiada calonnog iti am dy waith detectif da.' Doedd dim amau'i ddiffuantrwydd rŵan. 'Felly pam y gwyneb hir?'

'Wel! Wyt ti'm yn meddwl y dylwn i, o bawb, gael bod i mewn ar y croesholi? Ond yn lle hynny, pwy sydd wrthi? Fo, mei naps, a'r Dî És.'

'A! Y Ditectif Sarjant yn d'atgoffa di o'i rànc!'

'Mae'n ddigon i neud rhywun yn sâl, wyt ti'm yn meddwl? Jô Sôp yn gneud y gwaith cachu, ac yn diodda pob math o hàsl tra wrthi, a nhwtha'u dau yn . . . yn . . .' Roedd yn tagu ar ei fustl. 'Dwi jest ar y diawl â gofyn am shifft.'

'O ia? A lle dwi wedi clywed hyn'na o'r blaen, os gwn i?'

'Dwi'n ei feddwl o, Paddy. Mae pob ffôrs bron iawn yn brin o ddynion. Mi fyddai'r Merseyside neu'r Greater Manchester neu hyd yn oed y West Midlands yn fy nerbyn i efo breichia agorad.'

'Ac mi fyddai gen ti well gobaith am ddyrchafiad efo un o'r rheini wyt ti'n meddwl?'

'Dim gwaeth na fama, beth bynnag.' Aeth yn dawel am eiliad, cyn ychwanegu'n fwy anobeithiol fyth, 'Yr unig beth, dwi newydd gymryd morgej ar dŷ.'

'Ddylai hynny ddim bod yn broblem. Mater bach fyddai trefnu . . .'

146

'Ond diawl erioed, Paddy! Pam ddylwn i? Pam ddylwn i orfod symud o gwbwl? Dwi wedi ngeni a'm magu yn y ddinas 'ma, sy'n fwy nag a elli di'i ddeud amdano *fo* . . . ac mi faswn i'n ddigon bodlon fy myd yma hefyd oni bai am . . .' Doedd dim angen iddo nodio'i ben i unrhyw gyfeiriad rŵan; gwyddai fod y Gwyddel yn deall.

'Felly, rwyt ti am neud dy nyth yn yr un goeden â'r nyth y cest ti dy fagu ynddo fo. Rwyt ti'n lwcus iawn, gyfaill.'

Tu allan, roedd sŵn traffig diddiwedd i'w glywed yn slatsian trwy wlybaniaeth y ffordd a chyrn blin yn cyfarth ar ei gilydd.

'Dî Sî Johnson! Tyrd i mewn am funud!' Roedd yr Inspector a'r Ditectif Sarjant ar eu ffordd yn ôl o'r stafell groesholi, a golwg fodlon iawn ar wyneba'r ddau.

'Arclwydd mawr! Ydio'n sâl dwad, Paddy? Nid jest ei fod o'n gwenu – neu'r peth agosa at hynny! – ond mae o hefyd wedi cofio f'enw fi!'

'Paid â'i gadw fo i aros, Dî Sî!' Aeth y ditectif sarjant heibio iddyn nhw ac am ei ddesg ei hun. 'Mae ganddo fo waith iti.'

Oes m'wn! Ochneidiodd. *'My Master calls, Paddy! My Master calls!* Ond bygro fo! Dwi'm yn mynd heb fy mhanad.'

A gwenodd y Gwyddel wrth ei wylio'n prysuro am ddrws agored y swyddfa efo'i fŷg coffi yn ei law. 'Ia. Dangos di iddo fo, Dî Sî Johnson!' meddai'n freuddwydiol. 'Dangos di iddo fo pwy 'di'r bòs!'

*   *   *

147

'Tyrd i mewn, Johnson! Eistedd! Newyddion da! Mae Mason newydd gyfadde!'

'Mason, syr?'

'Treisiwr Hightown. Dî Sî! Kenneth Mason! Treisiwr Hightown!'

'O ia! Reit dda.'

Diffyg brwdfrydedd yn hytrach na siom pwdlyd a welai'r Inspector yn y gadair o'i flaen. 'Diawl erioed, Dî Sî! Mi fedret ti ddangos mwy o ddiddordeb! Wedi'r cyfan, d'arést di oedd o!'

'Ia. Dwi *yn* cofio, syr.'

'A dy waith da di, Dî Sî, ddaru'i goleru fo.'

Er ei waetha, fe sythodd y ditectif gwnstabl rywfaint yn ei gadair a bywiogi ei lais. 'O! Diolch, syr.'

'Dydw i ddim wedi cael cyfle tan rŵan i dy longyfarch di am y gwaith wnest ti.' Dechreuodd symud ei ben i fyny ac i lawr yn ddoeth, i bwysleisio'i eiria. *'Good detective work, D.C.! Damn good detective work!'*

'Diolch yn fawr, syr.'

'Wel rŵan, darllen hwn!'

Pwt o lythyr oedd yr *'hwn'* a gâi ei wthio tuag ato dros wyneb y ddesg. Cydiodd yntau ynddo a sylwi'n syth ar y llawysgrifen fras blentynnaidd ac ar y ffaith nad oedd cyfeiriad na dyddiad arno, na llofnod chwaith ar ei ddiwedd, dim ond dau farc cwestiwn i awgrymu bod yr awdur am fod yn ddi-enw.

Annwyl syr,

    Rydw i'n ysgrifennu atoch chi i ddeud fy mod i yn yr incwest y diwrnod o'r blaen. Roeddwn i'n ffrindiau efo Beth, yr hogan gafodd ei llofruddio. Nid Beth oedd ei henw iawn hi, rydw i'n gwbod hynny rŵan, oherwydd bod y dyn yn yr incwest wedi deud ei henw iawn hi. Ond Beth oeddwn i yn ei galw hi. Dydw i ddim yn rhoi fy enw i chi neu mi fydda inna yn cael fy lladd hefyd ond dwi isio deud pwy ddaru ladd Beth. Dydw i ddim yn gwbod ei enw llawn ond Kelly mae rhai yn ei alw fo ond mae o hefyd yn cael ei alw weithiau yn Johnny Fingers. Dydi o ddim yn gweithio i Marco, ond dwi'n meddwl fod Marco yn gofyn iddo fo neud jobsus iddo fo weithia. Dwi'n gwbod ma fo ddaru ladd Beth ond fedra i ddim deud dim mwy. Gobeithio newch chi ei ddal o. God bless. ??

P.S. Os newch chi ei ddal o, wna i ddim *dod i'r cwrt i roi tystiolaeth, achos dwi'n gwbod be fasa'n digwydd i mi.*

'Diddorol iawn! Pryd ddôth hwn, syr?' Roedd rŵan yn gwyro mlaen dros y ddesg a doedd dim ama'i frwdfrydedd bellach.

'Yn y pôst, ddoe.'

'Ddoe?' Teimlodd siom o'r newydd. *Fe allet ti fod wedi'i ddangos o imi cyn rŵan!*

'Ia, Dî Sî! Newydd ei gael o'n ôl o'r Lab ydw i.'

'Y Lab, syr?'

'Wel ia! Cyn i bawb yn y lle 'ma adael ôl eu bysedd arno fo . . . fel wyt ti'n ei neud rŵan!'

Yn reddfol gollyngodd y plismon ifanc y papur ar y ddesg o'i flaen.

'Paid â phoeni! Maen nhw wedi cael set dda o'i holion bysedd hi . . . y gohebydd papur newydd 'na.'

149

Chwalodd dryswch fel cwmwl dros wyneb y ditectif gwnstabl. Y peth tebyca i wên oedd ar wyneb ei fòs.

'Gohebydd papur newydd, syr?'

'Wel ia, Dî Sî! Mi welist ti hi'n codi nodiada yng nghefn llys y crwner, meddet ti. Ti'n cofio?'

'O!' Gallai deimlo'r gwynt yn dengid yn gyflym o'i hwylia. 'Felly dyna pwy oedd honno!' Holl bwrpas y canmol, gynna, oedd i gael rhoi pìn rŵan yn y swigan. *Bloody typical! Diolch yn dalpia!*

Sobrodd yr Inspector, fel pe bai wedi cael ei hwyl. 'Wel rŵan! Rhaid inni symud yn sydyn. Wyddost ti rwbath am y Kelly neu'r Johnny Fingers 'ma?'

'Enw, syr. Dyna i gyd.'

'Ma fo wedi bod i mewn gynnon ni o'r blaen, fwy nag unwaith. Rhyw ddihiryn bach ceiniog-a-dima dio 'di bod hyd yma ond mae o wedi cachu'i grefft go iawn rŵan. Dwi wedi rhoi'r gair allan i'w arestio fo. Be sy'n bwysig ydi bod Fforensig yn cael mats DNA efo'r gwallt a'r poer gawson nhw oddi ar y Gymraes 'na. Pwy ŵyr? Falla y bydd Mr Johnny Fingers yn barod i neud dîl efo ni wedyn.'

'Dîl, syr?'

'Wrth gwrs! Bydd raid inni egluro'r dewis iddo fo, Dî Sî – carchar am oes, efo'r goriad wedi'i daflu i ffwrdd, neu ddedfryd ysgafnach os bydd o'n barod i gydweithredu, a rhoi tystiolaeth yn erbyn Marco. Hynny ydi, cyfadda mai Marco ddaru'i gyflogi fo i gael gwared â'r Gymraes.' Pwysodd yn ôl yn ei gadair, yn bictiwr o ddyn bodlon. 'Paid â phoeni, Johnson! Dwi'n

150

nabod Kelly'n ddigon da i wbod be fydd ei ddewis o. A meddylia pa mor hapus fydd y *Chief* wedyn!'

'Ia! Pluan go fawr yn eich het chi, Inspector.' Prin oedd yr ymdrech i gelu'r coegni.

'Yn het pob un ohonon ni, Dî Sî! Yn het pob un ohonon ni! Paid ag anghofio hynny.'

Pennod 2

'Ma py . . . py . . . pethe fel 'te nw'n ciarlamu o'n blaene ni, ac yn ein ty . . . ty . . . tynnu ninne i'w canlyn.' Chwifiai'r llythyr yn ei law, fel enghraifft o'r hyn a olygai.

'Falle nad yw hynny'n ddrwg i gyd, Tomos.'

Newydd orffen eu swper oedden nhw ac wedi cael y gegin iddynt eu hunain o'r diwedd. Gadawsai Robet yn swta bron i ddwyawr ynghynt, *'i edrych rhyw fynglo yn y Trallwm'*, ac roedd Gwilym wedi rhuthro'i fwyd er mwyn cael mynd i lawr i Bant y Gadfa, cartre Carol, i rannu ei newyddion cyffrous efo'i gariad a'i rhieni.

'Meddylie mewn difri, My . . . Megan, yr holl sydd wedi digwydd yn ystod y dyddie dwethe! Ma pethe'n newid yn gyflym arnon ni.' Edrychai'n boenus o ddryslyd, cyn ychwanegu, 'Ond o leie ma Anghiarad fêch wedi dod 'nôl aton ni . . . ac ma hi ac Alun efo'i gilydd unweth eto . . .'

Llithrodd Megan ei llaw dros wyneb bwrdd y gegin i wasgu llaw rydd ei gŵr.

'. . . Fe wnes i gy . . . giam â fo'n do . . .' Deud yn hytrach na gofyn oedd o, a hynny â'i feddwl ymhell. 'My . . . machgien annwyl i! . . .'

Wrth weld y dagra'n hel yn ei lygaid, gwasgodd hitha'n gletach, efo'i dwy law erbyn hyn yn gwpan am ei un law fawr ef.

'. . . Ma'i lythyr o'n dal gien i, cofie! . . .'

'Ydi, dwi'n gwybod, Tomos bêch!'

152

'. . . Machgien cy . . . clên i! Ma fo'n deud yn ddigon gy . . . gonest yn hwnnw ned fo oedd ty . . . têd Gwilym. A finne ddim yn i gy . . . goelio fo, Megan! Fe ddyliwn i fod wedi'i goelio fo'n dyliwn, a finne'n dêd iddo fo. Fe ddyliwn i fod wedi'i goelio fo. My . . . machgien i!' Roedd ei ddagra wedi dechra llifo'n rhydd wrth iddo'i gystwyddo'i hun.

'Nid dy fai di, Tomos bêch! Doeddet ti ddim i wybod.' *Ond mi oedd dy frewd!*

'Fe wnes i giam ag o, Megan . . . Ciam my . . . mawr iawn hefyd.'

'Nid dy fai di, nghiariad i!' Roedd ei gwewyr hi lawn cymaint â'i un yntau ac er y carai hi gael deud mwy, allai hi ddim. 'Nid dy fai di!'

'Rhywun o'r pentre oedd o, ma'n siŵr gien i, wst ti. Rhywun o'r pentre oedd ty . . . têd Gwilym, ond chewn ni ddim gwybod, bellach, giewn ni?'

'Falle ma dyne sydd ore, Tomos. O leie ma *Gwilym* giennon ni . . .' Gwenodd i lygaid ei gŵr. '. . . am ryw hyd eto, ta beth!'

Rhyw ddwyawr ynghynt, bu cryn drafod ar yr aelwyd, wedi i Robet gyhoeddi'n ddirybudd ei fwriad i ymddeol o waith ffarm – *'oherwydd y ciefen drwg 'ma'* – a symud i'r Trallwng i fyw. Roedd Tomos, yn naturiol ddigon, wedi'i syfrdanu, a'i dristáu hefyd, gan benderfyniad ei frawd, am yr ofnai fod ffordd a phatrwm o fyw yn Nhanpistyll yn dod i ben, ac roedd wedi ceisio dwyn perswâd arno i newid ei feddwl – 'Tanpistyll ydi dy gartre di, Robet. Mi fyddi fel pysgodyn o ddŵr yn y Trallwm'. Ond doedd Robet ddim wedi bod mewn

153

unrhyw dymer i drafod nac ailystyried. Yn hytrach, roedd wedi cerdded allan o'r tŷ ac i'w gar gan adael Megan i ddatrys y sefyllfa efo'i gŵr a Gwilym. 'Ma gien i awgrym, Tomos.' Y gamp iddi fu peidio dangos ei bod wedi cael cyfle'n barod i gnoi cil ar betha. 'Rhaid i tithe gofio dy fod yn tynnu mlên, cofie! Rwyt ti ddwy flynedd yn hŷn na Robet ac fe ddylet tithe, falle, styried riteirio, i giael rhywfent o hamdden yn dy fywyd.' Er iddo geisio torri ar ei thraws, roedd hi wedi rhoi taw arno'n syth. 'Nê! Giad i mi orffen! . . . Dyma dwi isie'i awgrymu iti – Gian fod Robet am symud i'r Trallwm i fyw, be am i ninne'n dau neud rwbeth tebyg?' Wrth weld yr ymateb anghrediniol ar ei wyneb – y llygaid rhwth a'r geg yn syrthio'n agored – roedd hi wedi chwerthin yn ysgafn a gneud yn fach o'r peth. 'Tomos bêch! Rwyt ti'n edrech arna i fel 'se gien i ddau ben, a chyrnie'n tyfu ohonyn nw! Ond ma be dwi'n ddeud yn gneud synnwyr, wyddost ti. Ma gian Gwilym yn fama'i gynllunie'i hun ar gyfer y fferm . . . yn does Gwilym?' Hwnnw, erbyn hyn, yn glustia i gyd ac ar flaen ei gadair. 'Yn un peth, ma fo isie troi mwy a mwy at ffermio organig, ac yn reit siŵr ma gianddo well synied na ti a fi sut i fynd ar ôl y grantie 'ma o Iwrop. Ma gianddo hefyd 'i syniade ynglŷn ag arell-gyfeirio, ac fel ti'n gwybod yn iawn Tomos bêch, ma'n rhaid i Tanpistyll, fel pob fferm arall yn y wlêd 'ma, styried gneid rhywfent o hynny heddiw, os am giadw'i phen uwchlaw'r dŵr. Felly meddwl oeddwn i, Tomos, y bydde'n rheitiach i ni'n dau hefyd giael bynglo bêch i ni'n hunen a giadel Tanpistyll 'ma i'r bobol ifenc. Ddim symud yn bell, cofie! . . . Ddim cyn

belled â'r Trallwm at Robet, yn reit siŵr! Ond rhyw
feddwl o'n i . . . wel, ma Hafoty'n lle clên iawn. Wyt
ti'm yn meddwl? Fe allen ni'i atgyweirio fo'n fynglo
bêch modern. Meddylie! Mi fedret ti wedyn ddod i fyny
yme i helpu rhywfent ar Gwilym, yn ôl y gialw, ond fe
giaet ti hefyd amser i bysgote yn Llyged Hwch. Chêst ti
ddim cyfle i neud hynny ers blynydde. Ma'r ddau
ohonon ni'n heiddu rhywfent o hamdden, siŵr o fod?'
Ac o fewn dim amser, roedd y syniad wedi cydio yn
nychymyg Tomos hefyd, er rhyddhad i Megan ac er
mawr gyffro i Gwilym.

'Ydi, ma Gwilym giennon ni, Megan, a diolch am
hynny . . . ac fel ma Robet o hyd yn ddeud, teulu
Tanpistyll ydi o yn 'i nerth. Cyw o frîd. Ond ma gien i
ofan mod i wedi busnesu gormod unweth eto . . .'

'Busnesu? Be wyt ti'n feddwl, Tomos?'

' . . . pan awgrymes i, i Gwilym gynne, y dyle fo a
Ciarol briodi cin dod yme i fyw. Ma'n siŵr 'i fod o'n
teimlo mod i'n gosod amode annheg. Ond rwyt *ti* yn
diall pem, gobeithio?'

'Wrth gwrs mod i! Ac roedd Gwilym yn diall hefyd.
A deud y gwir, roedd y synied yn apelio'n arw iddo fo
dwi'n ame. Fe êth fel ciath i gythrel i lawr i Bant y
Gadfa i ddeud wrth Ciarol, beth bynneg. Synnwn i ddim
na fydden nhw wedi trefnu dyddied y briodes heno iti!
Ac mi fydd John ac Eirlys, yn fan'no, yn diolch iti
hefyd, siŵr o fod, am awgrymu'r peth. Fydden nhwthe
ddim isie gweld eu merch yn byw mewn pechod.' Yn
rhy hwyr y sylweddolodd hi mor ansensitif oedd ei
geiria ond er i'w gwên ymddiheurol fethu tynnu gwên i

155

wyneb ei gŵr, fe wyddai Megan fod meddwl Tomos wedi symud ymlaen.

'Ma'r olynieth yn bwysig wysti. Fydde dim byd yn well gien i na gweld mêb arall yn chware ar yr aelwyd 'ma.'

'A merch!'

'Ie,' cytunodd yn drist. 'A merch hefyd.'

Unwaith eto, doedd hi ddim am adael iddo bendroni gormod uwchben yr hyn a fu. 'Roeddet ti'n iawn yn be ddeudest ti gynne, Tomos. Ma pethe wedi ciarlamu'n rhyfeddol o gyflym heno. Robet yn giadel, Gwilym yn priodi a dod i Danpistyll 'me i fyw – a chiel nythied o blant meddet ti! – ninne'n symud i Hafoty . . . Ac ma hwnne hefyd yn newydd dê inni.' Â'i llygaid, cyfeiriodd at y llythyr yn llaw rydd ei gŵr, llythyr efo LEICESTERSHIRE CONSTABULARY yn bennawd du iddo, a daliodd ei llaw allan amdano, i'w ailddarllen:

Annwyl Mr & Mrs Fychan,

Gair i'ch hysbysu bod dau ddyn wedi cael eu cyhuddo gennym heddiw o achosi marwolaeth eich merch. Mae un ohonynt eisoes wedi pledio'n euog i'r drosedd ond mae'r llall, hyd yma, yn gwadu pob cysylltiad. Rydym yn ffyddiog, serch hynny, y gallwn ddod ag achos llwyddiannus yn erbyn y ddau ohonynt ac y byddwn yn galw am garchar oes i'r naill fel y llall. Erbyn ichi dderbyn y llythyr hwn, byddant wedi ymddangos gerbron yr ustusiaid lleol ac wedi cael eu trosglwyddo oddi yno i sefyll eu prawf yn Llys y Goron. Cewch wybod gennyf eto pryd y bydd hynny. Gwrthodwyd mechnïaeth i'r ddau.

Carwn ddiolch yn ddiffuant ichi am eich
cydweithrediad parod ar amser anodd a thrasig iawn yn
eich hanes fel teulu. Byddaf yn cofio'n hir iawn am fy
ymweliadau â'ch ardal, ac am gynhesrwydd eich croeso.

Yn gywir iawn,

Charles Mornay

(Ditectif Inspector Charles Mornay)

'Chware teg iddo fo am anfon, ynde Tomos? Charles Mornay! Ma'n gwilydd gien i ddeud nad oeddwn i'n cofio'i enw fo, hyd yn oed, cin cial y llythyr.'

'Fedre i ddim deud wrthet ti gyment o ryddhêd dwi'n 'i deimlo ar ôl darllen hwnne.'

'A finne, Tomos bêch! A finne!'

'Mi fydd raid ciael geirie ar giarrag 'u bedd nw, Megan . . .'

Gwelodd hi'r boen yn dod i'w lygaid a'r dagra'n cronni'n gyflym.

'. . . *Yr eneth gêdd 'i gwrthod* fydde'n gneid o den enw Anghiarad fêch.'

'Paid ti â siared mor wirion, Tomos!' Roedd llais a gwyneb Megan wedi magu min a hawdd gweld ei bod yn wironeddol ddig efo'i gŵr am gosbi'i hun yn y fath fodd. 'Nid ciael 'i gwrthod nêth Anghiarad siŵr iawn, na chiael 'i hanfon o'me. Dewis giadel ohoni'i hun wnêth hi, a phwy ell ddeud pem yr êth hi. Rŵan gwranda di arne i! Pem ne ofynni di i Gwilym lunio cwpled i'w roi ar y giarrag? Ma fo'n fardd itha teidi, iti giael diall, a mi fedre fo lunio rwbeth dê, dwi'n siŵr, ond iddo fo giael digon o amser i neud hynny.'

Pennod 3

O weld plant, yn ddeuoedd ac yn drioedd, yn llusgo'u traed i gyfeiriad yr ysgol, efo'u cotia'n hongian ar agor mewn blerwch bwriadol, hawdd fyddai tybio ei bod yn fore Llun heulog. Ond diflastod, i gyd-fynd â llwydni'r awyr, oedd ar wyneb pob un wrth i'r glaw mân lynu'n ysgafn i'w gwalltia a chyffwrdd yn oer â'u gyddfau noeth. Llifai'r traffig yn ddieithr ac yn ddi-hid heibio gan ailgylchu dŵr y ffordd yn gawodydd ffyrnicach, butrach dros goesa a thraed.

'Cychwyn bendigedig i wythnos ddifyr arall,' meddai Dî Sî'n chwerw wrtho'i hun gan sbarduno'i feic trwy giât lydan maes parcio'r stesion. Fel rheol, roedd rhywun neu'i gilydd yn siŵr o fod o gwmpas i dynnu sylw doniol neu ddifriol at y moped bach a'i dagu gwantan ond heddiw, diolch i'r Drefn, roedd y maes parcio bron yn wag. Llywiodd ef i'w gornel arferol yng nghysgod yr adeilad a phrysurodd i dynnu'r helmed fyglyd oddi am ei ben.

'A! James Bond wedi cyrraedd!'

Arclwydd mawr! Sôn am fod yn prîdictabl! Doedd raid iddo fo ond ymddangos yn ei ledar du ac roedd y ffraethineb ystrydebol yn llifo fel dŵr mewn gwtar! James Bond neu James Dean oedd hi fel arfar, Barry Sheen weithia. Ond be oedd waetha ganddo oedd clywed rhai iau na fo'i hun, rhai efo llai o brofiad yn y ffôrs, yn magu hyfdra ac yn ychwanegu rhyw sylw gwirion fel 'Evil Kneivel ti'n feddwl!' ac yn chwerthin fel blydi lloea wedyn dros y lle.

'Ia ia! Jôc dda. Pam ti'n wastio d'amsar yn fama? Ar y teli y dylet ti fod.' Ac ymlaen at ei ddesg i weld be oedd gan y dydd i'w gynnig.

'Gwenu eto heddiw? Ti'n mynd yn debycach i d'Inspector bob dydd.'

'Paid ti â dechra, wir dduw, Paddy!'

Ganol bore, galwodd Dybliw Pî Sî Morgan heibio, ar ei ffordd yn ôl i Loughborough, meddai hi. 'Wi weti bod gartre yn Bargoed am gwpwl o ddyddie a gan bo fi'n paso drwyddo fe feddylies alw i weld os ôdd unrhyw ddatblygiade.'

'Datblygiada? Efo be 'lly?'

'Angharad Fychan? Y ferch gâs 'i llofruddio?'

'O, y cês hwnnw!' Ymdrechodd i swnio'n ddidaro, fel petai llawer iawn o ddŵr a gwaith-llawn-cyn-bwysiced wedi mynd o dan y bont ers hynny. 'Na, mae'r ffeil ar hwnnw wedi'i chau, i bob pwrpas.'

Gwenodd hitha, heb fod yn siŵr ai'r wybodaeth oedd yn peri iddi neud hynny ynte'r dôn or-bwysig yn llais Dî Sî. 'Grêt, w! Pw yw e?'

'Dau o'n hadar duon ni! Roedd ein llygid ni arnyn nhw o'r cychwyn, wrth gwrs, ond ein bod ni'n aros am ddigon o dystiolaeth yn eu herbyn nw. Johnny Fingers Kelly nâth y job, ond Marco oedd y brêns tu ôl i'r peth . . . Marco *Pimp* Mathews.'

'Brêns?'

'Ffordd o siarad, dyna i gyd!'

'Wel llongyfarchiade mowr!'

'Diolch!' Trwy swnio'n ddi-hid, gobeithiai awgrymu nad oedd dim yn anarferol yn y math yma o lwyddiant.

'Wel, ma'n well ifi fynd, wi'n cretu. Wi'n gwitho pnawn 'ma.'

'O!' Gwyliodd hi'n troi i adael. 'Ym! Mi ddo i efo ti at y drws.'

'Pwy ydi hi, 007? Miss Moneypenny?'

'*From Russia with love!*' gwaeddodd rhywun arall, i gyfeiliant rhagor o chwerthin powld.

'Anwybydda nhw!'

Ond chwerthin wnâi hitha hefyd, fel un wedi hen arfer â chyd-weithwyr yn tynnu coes. Synnodd ynta fod ganddi lygada mor ddeniadol wrth eu gweld nhw rŵan yn disgleirio'n chwareus. 'A deud y gwir,' meddai wrtho'i hun, 'ma 'na rwbath reit handi ynddi hi!'

'007? Pam bod nhw'n galw hynny arnot ti, 'te? Wyt ti'n cael anturiaethe tebyg i James Bond, wyt ti?' Daliai i wenu.

'Wel! Wst ti fel ma'i! Jelys ma nhw mod i'n . . . Wel! Wst ti fel ma'i! . . .'

Roedden nhw wedi cyrraedd y drws allan.

'. . . Ym! Fasa gen ti awydd dŵad allan am beint neu bryd o fwyd ryw noson?' Gwenodd a theimlo'i wyneb yn od. 'Imi gâl dy ypdêtio di ar y cês.'

Gwenodd hitha'n lletach, a'r hiwmor yn dawnsio yn ei llygada. 'Dêt a ypdêt gyda'i gilydd, ife?'

'Pam lai?'

'Diolch am y cynnig, Dî Sî, ond ma gyda fi sboner ishws.'

'O!' Roedd yn prysur ddod yn gyfarwydd â'r teimlad

o golli'r gwynt o'i hwylia. 'Twt! Fyddai'm rhaid i hwnnw wbod dim.'

'Na fydde wir? A fynte'n sarjant yn y steshon yn Loughborough?'

O wel!

*   *   *

Yn fuan ar ôl cinio, daeth galwad iddo oddi uchod.

'Dyma ni *off*, Paddy!'

Chwarddodd hwnnw.

'Dos â'r report 'ma o'r Lab efo chdi iddo fo,' galwodd y Dî És, wrth ei weld yn cychwyn.

'Mae o'n ôl felly, Sarj? Lle mae o 'di bod drwy'r bora?'

'Dim o dy fusnas di, Dî Sî! Ond gan dy fod ti'n gofyn, mi ddeuda i wrthat ti. Efo'r *Chief*. A dwi'n meddwl y ffeindi di'i fod o mewn hwylia da.'

'*Seeing is believing, Sarj! Seeing is believing!* Gawn ni weld!' Ac wrth gerdded am y swyddfa, taflodd gip sydyn dros yr adroddiad yn ei law.

'Tyrd i mewn, Johnson. Eistedd yn fan'na wrth y ddesg. Mae gen i rywbeth i'w ddeud wrthat ti.'

Johnson! Eisteddodd, a gwylio'r Inspector yn codi ac yn mynd at gwpwrdd bychan yng nghornel y stafell. 'Adroddiad o'r Lab ichi, syr.' Ac eithrio'r pentwr bychan taclus o bapura ar un gornel iddi, yr unig beth arall ar wyneb y ddesg oedd cylchgrawn agored. Craffodd ar hwnnw a'i ddarllen ora fedrai o chwith. TROUT AND SALMON . . . Tudalen hysbysebion!

Cylch coch am un hysbyseb! Gwthiodd ymlaen i ddarllen y print mân yn boenus o ara: *Bargain tackle for flyfishing enthusiast. Orvis Clearwater fly rod and Battenkill reel with Wonderline, together with Snowbee bag, folding landing-net and a number of other accessories, all as new. Snowbee Neoprene chestwaders (Size 9. Used once only.) also available. Exceptionally good value at £540 (Items priced and sold individually on request). Enquiries: 0116 . . .*

Gwenodd. Roedd yn adnabod y rhif ffôn.

'Dyma ti, Alan!'

Dychrynodd braidd, fel plentyn ysgol wedi ei ddal yn gneud drwg, a neidiodd yn ôl yn ei sedd, oherwydd roedd yr Inspector erbyn hyn yn sefyll wrth ei ysgwydd ac yn dal gwydryn o ddiod iddo. *Johnson!* . . . A rŵan *Alan!* Be uffar oedd wedi digwydd i *Dî Sî*? A be oedd achos y gwydryn a'r wên?

'Dropyn o wisgi, i ddathlu.'

'O? Dathlu be felly, syr?'

'Dathlu llwyddiant, Dî Sî, be arall?' Oedodd a chymryd llwnc 'A! Dwyt ti ddim wedi clywed, yn amlwg.'

'Clywed? Clywed be, felly, Inspector?' A gwelodd ef yn gwenu ei ail wên; o bosib ei ail wên erioed.

'*Chief* Inspector, Alan! Mi fydd raid iti arfer deud *Detective Chief Inspector* o hyn allan. *Dî Sî Ai* Charles Mornay.'

'O! Llongyfarchiada!' Ond er codi'i wydryn wedyn mewn llwncdestun mud ac ymdrechu'r un pryd i ddangos rhywfaint o orfoledd, eto i gyd ofnai mai syrffed a chenfigen oedd i'w glywed yn ei lais. 'A dyna lle'r oeddech chi bora 'ma, felly?'

'Efo'r Swpyr, ia. Fe gawson ni'n dau sgwrs hir, am y peth yma a'r peth arall. Wrth gwrs, ro'n i wedi cael rhyw hŷm ers tro bod dyrchafiad ar y gweill, ond feddyliais i ddim y bydda fo'n dod mor fuan chwaith. Meddwl ydw i bod ein llwyddiant ni yn Hightown ac wedyn y cês yn erbyn Marco a Johnny Fingers wedi symud petha mlaen.'

Ia. Ein llwyddiant ni*! Ond* chdi *sy'n cael y clod i gyd, yndê? Pluo dy nyth dy hun ydi dy betha di.* 'Dach chi rioed wedi styried transffyr, syr?'

Tynnodd y cwestiwn edrychiad od. 'Transffyr, Dî Sî? Fi? Be wyt ti'n feddwl?'

'Dim ond meddwl y byddech chi rywbryd am fynd 'nôl i'ch rhan chi'ch hun o'r wlad, dyna i gyd.' Roedd rhyw ddiawledigrwydd yn ei gadw rhag brathu'i dafod. 'Mi fyddai'r Cleveland Constabulary'n croesawu rhywun o'ch profiad chi efo breichia agorad, siŵr o fod.'

Chwarddodd yr uwch-swyddog yn fyr ac yn ddihiwmor. 'Isio gwarad ohono i wyt ti, ta be?'

'Nage wrth gwrs! Rhyw feddwl o'n i y byddech chi'n dringo'n gynt yn fano rŵan. Mae'n amlwg y byddwch chi'n Swpyr ryw ddiwrnod, ond ddim am sbel yn fama falla.'

Syllodd y Prif Arolygydd newydd yn hir ac yn graff ar ei dditectif gwnstabl, fel pe bai'n ama'i eiria, tra syllai hwnnw'n ôl arno efo llygada llawn diniweidrwydd.

Y Dî Sî Ai oedd gynta i edrych draw. 'Be gythral wnaeth iti feddwl y byswn i isio symud, beth bynnag?'

163

'Jest rwbath ddeudodd Paddy uwchben panad y dydd o'r blaen, dyna i gyd, syr. Sôn oedd o am adar yn mynd 'nôl i nythu i'r un goedan ag y cawson nhw'u magu ynddi pan oedden nhw'n gywion bach.'

'Arclwydd mawr, Dî Sî! A dyna mae coffi yn ei neud ichi'ch dau? Eich troi chi'n athronwyr? Ac mae'r athroniaeth fawr honno'n deud wrthat ti, am fy mod i wedi cael fy ngeni yn Cleveland y dylwn i fynd yn ôl yno i nythu, neu i glwydo, neu beth bynnag?'

'Wel na, jest meddwl, dyna i gyd . . .' Roedd yn dechra difaru'i ryfyg.

'Gwranda! Cyn gadael ei nyth mae'n rhaid i bob cyw fagu adenydd ac mae hynny'n ehangu'i fyd o'n arw. Rhyw dderyn to o rwbath sy'n aros yn yr un lle gydol ei oes. A sbia peth mor uffernol o ddi-liw ydi hwnnw! Na, mae'n rhaid iti ledu d'adenydd yn yr hen fyd 'ma, Dî Sî, yn enwedig os wyt ti am ddod ymlaen ynddo fo. Felly i be, meddat ti, yr a' i'n ôl i Cleveland a finna mor fodlon fy myd yn fama?'

Bodlon? Arclwydd mawr!

'Wrth gwrs, syr. Wedi meddwl, mi fydda fo'n beth gwirion i'w neud.' Drachtiodd weddill y wisgi mewn un llwnc swta, a chodi. 'Hwn ichi o'r Lab.' A thaflodd y ffeil ar y ddesg.

'O? A be ydi o felly?'

'Yr hancas bocad honno! Roeddech chi wedi gofyn am broffeil DNA ar y gwaed oedd arni.'

'O! Ym! . . . Iawn . . . Gad o efo fi, felly.'

'Dwi wedi taflu golwg frysiog dros yr adroddiad. Dau fath o waed, efo'r un proffeil bron iawn.'

'Be?' Llowciodd yr Uwch Arolygydd ynta weddill ei wisgi-dathlu, heb brin ei deimlo yn ei lwnc. 'Y ddau broffeil yn debyg, ddeudist ti?'

'Tebyg iawn. Tad a mab maen nhw'n tybio. Naill ai hynny neu ddau frawd.'

'O! Diddorol iawn!' Ac yn araf lledodd trydedd wên y bore dros ei wyneb.

'Os nad oes dim byd arall, yna mi a' i.' Ei lais yn drwm, heb lawer o ymdrech i gelu'r syrffed ynddo. 'Tipyn o waith papur a deud y gwir.'

Pe bai'r drws yn agor at allan mi fyddai wedi'i gicio fo'n agored. O leia dyna sut y teimlai. Ond yn hytrach fe gydiodd yn barchus yn y dwrn, a'i droi. Dyna pryd y clywodd orchymyn cynhyrfus yn ei alw'n ôl.

'Diawl erioed! Tyrd 'nôl! Fu ond y dim imi anghofio! Roedd hwn i fod yn ddathliad dwbwl.'

'Dwbwl, syr?'

'Wel ia. Fe wnest titha gais am ddyrchafiad ryw dri mis yn ôl, os cofi di. Wel, fe ges i gyfla bora 'ma i gael sgwrs efo'r Swpyr yn dy gylch di, a synnwn i ddim . . . synnwn i ddim . . .'

'Be? Dach chi'm yn deud . . .?'

'Synnwn i ddim na fyddi di'n Dî Ès Johnson yn fuan iawn. Ditectif Sarjant Alan Johnson. Sut ma hwnna'n swnio ta?'

Rhaid bod y wên hon, ei bedwaredd mewn un bore, yn fwy heintus na'r lleill oherwydd rŵan fe ledodd un debyg iddi – lletach o bosib – dros wyneb y Dî Sî hefyd a chreu croen gŵydd ar ei war.

'Mae sŵn da iawn iddo fo, os ca i ddeud, syr.'

165

'Iawn ta! Ond *mum's the word,* cofia. O leia nes y cei di glywed yn swyddogol. Felly, *back to work!* Yn ôl at waith, Dî Sî. O! A phaid â gadael i neb fy styrbio fi yn ystod yr hanner awr nesa. Mae gen i alwad ffôn bwysig i'w gneud.'

'Wrth gwrs, syr. Felly *back to work* amdani.' Oedodd yn ddigon hir yn y drws i ychwanegu efo gwên fodlon, 'A llongyfarchiada calonnog iawn ichi unwaith eto, Chief Inspector Mornay.'

*   *   *

'Mair, fam ddwyfol yr Iesu! Rhaid ei bod hi'n ben-blwydd arnat ti, Dî Sî. Rwyt ti'n gwenu!'

'Dyro'r gora i dy rwdlan, Paddy. Dwn 'im be amdanat ti, ond ma gan rai pobol waith i'w neud.'

*   *   *

'Helô, Avril? Charles sy 'ma. Sut wyt ti'n teimlo erbyn hyn? Y cur pen yn well gobeithio? . . . Be? . . . Be wyt ti'n feddwl, ydw *i*'n well? Doedd 'na ddim byd yn *bod* arna *i* . . . Y? . . . Ia, iawn. Dwi'n cyfadda mod i falla braidd yn flin yn gadael y tŷ ben bore ond . . . Be? . . . O, chwara teg rŵan! Dydw i ddim yn flin *bob* bore! . . . Na, gwranda Avril! Paid â gadael inni ddechra ffraeo eto, wir dduw! Yli! Dwi'n ymddiheuro am be ddeudis i cyn brecwast. Rhaid iti gofio nad ydi petha ddim wedi bod yn hawdd i mi yn fama chwaith yn ddiweddar, rhwng pwysa'r gwaith a'r *Chief* fel tincar yn swnian

bob munud am *results*. Uffern ar ddaear a deud y gwir!
Ond ma petha'n gwella rŵan a dwi'n addo y bydd
petha'n gwella adre hefyd. Rŵan gwranda! Rhyw
feddwl o'n i y gallen ni fynd allan i rywle am swper
heno. Jest ni'n dau . . . Be? . . . Wel ia, dwi'n deall yn
iawn mai nos Lun ydi hi, ond does dim byd o'i le mewn
dathlu ar nos Lun mwy nag ar nos Wener neu nos
Sadwrn, oes 'na? . . . Na, fe gei di wybod dathlu be pan
ddo i adre. Fedra i ddim deud wrthat ti dros y ffôn.
Trefna di i gael rhywun i warchod y plant. A gwranda!
Ddydd Sul nesa dwi am fynd â nhw efo fi i bysgota . . .
Na! Mae'r ddau yn ddigon hen rŵan. Dwi am brynu
polyn bob un iddyn nhw. Ac mi gei ditha ddod efo ni
hefyd, os lici di. Fe gei di neud picnic ac fe awn ni fel
teulu. Ro'n i'n gwrando ar ragolygon y tywydd bore
'ma yn y car ac maen nhw'n gaddo tywydd braf inni o'r
diwedd; gwasgedd uchel dros y wlad i gyd a hwnnw'n
para, am sbel o leia. A deud y gwir, dwi'n edrych trwy'r
ffenest 'ma rŵan a dwi'n gweld rhywfaint o awyr las,
a'r haul yn torri trwodd. Felly, be wyt ti'n ddeud?'

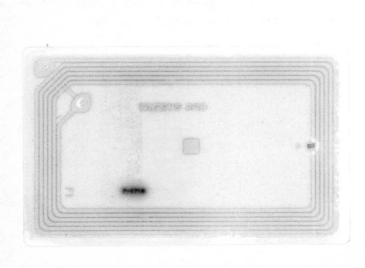